Скитникът
Сълзи и Усмивки
Размислите на един български имигрант

РОНЕСА АВИЛА

Дизайн на корицата и илюстрации: Нели Тончева-Нелинда,

Редактор *Анастасия Виденова*

СЪДЪРЖАНИЕ

Въведение.. vii

Глава 1: Вярата 1

Глава 2: Вълшебната пръчица на българите............................ 9

Глава 3: Вино и любов 17

Глава 4: Мартеницата – конец надежда 25

Глава 5: Цветя и любов – да обичаш ближния и себе си........... 33

Глава 6: Прости ми 41

Глава 7: Шарени яйца и сладки спомени 47

Глава 8: Именни дни – време за почивка и веселие................ 53

Глава 9: Бели рози 59

Глава 10: Безстрашна 65

Глава 11: Кръгът на любовта (хорото) 73

Глава 12: Магията на водата (Самодивска чешма) 79

Глава 13: Блага душа... 85

Глава 14: Лечители на душата 93

Глава 15: Орисия или избор 101

Глава 16: Кльощавите лалета 109

Глава 17: Душата на едно дърво 115

Глава 18: Портичката – кафе, цигара и капка вино 123

Глава 19: Не закъснявай 129

Бележка от автора.. 133

За автора... 137

Скитникът

„Не всичко, което блести, е злато"

Не всичко, което блести, е злато,
Не всички, които се скитат, са изгубени;
Силното старо не изсъхва,
Дълбоките корени мраз не ги стига.

Дж. Р. Р. Толкин

Въведение

„Хората имат различни звезди. За тези, които пътуват, звездите са водачи. За други те са само малки светлинки" – Малкият принц.

В миналото хората са пътували в търсене на по-добри условия за живот. Едно от нещата, което ни отличава от животните, е нашата свобода да избираме своя път и да изграждаме собствения си живот. Всеки човек е един постоянен проект: променя се, адаптира се – понякога към по-добро, друг път към по-лошо. Цял живот ние се скитаме, за да намерим по-добро място за живот, по-добра работа, да научим нови умения, да открием или да изобретим нещо стойностно. Видният български писател Николай Райнов е казал:

„Човек не е хубав нито паднал, нито гордо възправен.

Хубав е – когато се възправя.

От всички белези на стъпки по пътя аз съм харесал само

Стъпките, що се лутат".

Любовта е естествено човешко чувство, омразата се научава. Детето прегръща и целува непознати хора много преди да се научи да удря и да наранява. И въпреки това докато растем, ние се сблъскваме с цялата омраза, която изпълва този свят – омраза към онези, за които почти нищичко не знаем, просто защото тези хора имат различни убеждения, религия, цвят на кожата или просто нещо, което ни кара да не ги харесваме. Ако се замислим – и тази книга го показва – в същността си ние сме еднакви: всички обичаме, плачем, мечтаем и страдаме. Това, което ни прави различни, се дължи на различни обстоятелства: къде сме се родили и/или израснали, на какво са ни учили. Но никое правило не може да определи как човек следва да изживее живота си. Разбирането на различията между хората ни прави по-силни, по-умни и по-грижовни един към друг. Чрез различните си разкази тази книга ще покаже не само болката от липсата на разбиране, но и радостта, която може да донесе опознаването и приемането на различно културно наследство и традиции.

В тази книга разсъждавам върху живота си като имигрант в чужбина през последните 20 години; историите са преплетени със спомени от детството ми в България, всичко онова, което е дало и все още дава отражение на развитието ми като личност. Споделеното в тези страници и моите картини изобразяват начина, по който традициите и ритуалите влияят върху формирането на българските институции и общности в чужбина. Културата е храм за душата; тези общности спомагат за опазването на българската ценностна система и вярвания. Книгата показва скръбта и радостта в живота на имигрантите, които тъжат по родния си край, но в същото време се опитват да възприемат и приемат своя нов живот и обкръжение. Те искат да бъдат приети като пълноценни граждани в новата си Родина осиновителка. Уверена съм, че един от стълбовете за нашия успех в България или в чужбина е нашата вяра: вярата е запазила българите през вековете и продължава да ни оказва морална подкрепа и до днес – за поколенията, живеещи извън Родината.

Не харесвам думата "имигранти". Възприемам ни като хора, които търсят по-добър живот, и бих ни нарекла "пътешественици" или "изследователи". Светът се развива и променя, защото хората пътуват – а някои се лутат в търсене на нови възможности, за да живеят по-добре, да намерят приложение на своите идеи или просто да живеят „по-лесно“. Ние не сме имигранти; ние сме откриватели, последвали копнежа си да изследваме нов свят и възможности за изява и по-добро битие.

„Имигрант“ – това е етикет, създаден да разделя хората и да насажда омраза. В свят без граници всички ние сме граждани на Земята. Хората са проект: постоянно се развиват, докато търсят – каквото и да е то.

Бихте ли нарекли имигранти англичаните и испанците, които за първи път населяват Америка? Вероятно не. Нито бихте нарекли имигранти прабългарския хан Аспарух и неговите воини. Години наред той води племето си в търсене на вода и земя и през 681 г. те основават днешна България, населявана вече от траки и славяни. Обичаите и митовете от двете култури са запазени и втъкани в българския бит и фолклор и до днес. Същото се случва и с “имигрантите” в наши дни: те запазват своята култура и бавно и с много резерви добавят заемки от страната осиновителка, където се заселват.

В наши дни технологията премахна физическите граници. Скитаме не само пътувайки до различни места по света, но във виртуалното пространство с лекота „отскачаме“ в мрежата, където създаваме приятели и опознаваме света около нас. Когато пътуваме, ние създаваме нови домове, намираме нови приятели, отглеждаме децата си, вдигаме сватби и казваме сбогом на приятели и близки, изпращайки ги в отвъдния свят. Дори на хиляди километри от мястото, където сме отгледани и възпитани, ние продължаваме да спазваме нашите обичаи и да практикуваме традициите, с които сме закърмени. Споделяме ги с нови приятели, които имат различно културно наследство, мироглед и вяра; и на свой ред приемаме нови. Трябва да се научим да почитаме другите култури толкова, колкото подкрепяме хората от собствената си общност.

Много българи напуснаха страната през 1989 г. след промяната в режима, когато България се превърна в демократична държава. Границите се отвориха и мечтателите последваха визията си – някои да спечелят повече пари или да сбъднат своите мечти и въжделения, други от любопитство към „забранения“ свят. Преди промяната само привилегированата комунистическа върхушка можеше да пътува „на Запад“. Простосмъртните пътуваха само до страни членки на бившия Социалистически лагер.

Западът беше скрит зад т. нар. Желязна завеса[*] и ни казваха само това, което нашето правителство искаше да знаем. Не само пътуването, но и контактът със Запада беше забранен. Семейството ми имаше приятели в Западна Германия, с които си разменяхме писма и снимки. В едно от писмата дъщеря им Вероника държеше малко тигърче. Завидях й: тя имаше тигърче за домашен любимец. Не можех даже да си представя какво ли още можеше да притежава. Такъв бе мирогледът ми – едно деветгодишно момиче: Западът беше забранената Райската градина.

По-късно, когато брат ми трябваше да отиде в казармата, на семейството ми беше наредено да прекрати кореспонденцията с това семейство от Германия. За да ни накажат, изпратиха брат ми да служи войник в един от най-тежките региони в страната, наричан от някои „Триъгълникът на смъртта“ – три района с военни поделения край Елхово, Грудово (днес Средец) и граничното село Звездец в Югоизточна България.

---

[*] Желязна завеса – термин, символизиращ идейно-политическия конфликт между Източна и Западна Европа по време на Студената война в средата XX в. Берлинската стена бе физическата граница, разделяща Европа.

Това далеч не беше единствената причина да го изпратят там. Имахме близък роднина, който беше антикомунист и излежаваше „присъда" в лагера Белене. Не го познавах, но всички в семейството казваха името му със страхопочитание и дълбоко уважение: „чичо Васил." Не бяхме партизани, ятаци или част от новия комунистически режим; бяхме обикновено семейство, което усърдно работеше, възпитаваше децата си на честен труд и не надигаше глас – поколение след поколение. Учеха ни да уважаваме възрастните, защото носят мъдростта на живота.

Въпреки че стената падна през 1989 г. и премахна завесата между Източния и Западния блок, днес в света се създава нова стена – стена от омраза. След промените през 1989 г. бяхме достатъчно млади, за да повярваме, че можем да се развиваме в желаната от нас кариера, да подкрепим промените и да изградим страната си от нищо. Но нещо се обърка. Вместо да продължи напред, родината ни започна да върви назад. Лидерите се сочеха с пръсти, ровеха в досиета и архиви, търсейки бивши комунисти, вместо да влагат силите и волята си и да поведат страната по пътя на благоденствието. Докато правителството беше ангажирано с осъществяването на мизерни идеи, на заден план бившият комунистически елит изграждаше – като паяк – подземна мрежа, в която изсмукваше кръвта и живота от народа. Работех за банка и станах неволен свидетел на лошото и доброто. Видях хора как губят дома и спестяванията си, а други да строят дворци чрез тормоз, насилие и страх.

Тъй като имам страст към изкуството и архитектурата, през 1990 г. пътувах до Русия, защото Москва имаше какво да предложи. България десетилетия наред бе част от същия този управленски лагер, затова аз не забелязах огромна разлика в начина на живот на руснаците. Мисля, че тогава България беше дори в по-добра икономическа ситуация. В Москва букет от рози струваше почти едномесечна заплата. Когато разбраха, че съм от България, хората ме питаха дали не нося стоки за продан. Най-търсеният продукт бе българският коняк „Плиска". Впечатлиха ме хората в московското метро: учтиви, но мълчаливи и тъжни.

Друго пътуване, което също ми показа една от страните на комунистическия режим, беше посещението ми в Северна Корея в началото на 90-те години на миналия век. Дори и днес не съм сигурна дали всичко там бе истина или просто лош сън. Все още

помня в съзнанието си километричните опашки пред техния ЦУМ*
– хора, наредени с наведена глава, търпеливо чакайки реда си, за
да си купят електрическа крушка, нещо, което човек в България
може да си купи всеки ден. Камионите по бетоновите улици
изглеждаха като призраци от времето на Втората световна война,
без прозорци, с избледнял зелен цвят. Страх беше изписан по
лицата, когато споделяха за живота си. Често разказвам на децата
си, че хората там нямат телевизор или ако имат, той предава само
един канал, който се пуска от 17:00 до 18:00 ч. вечер, за да съобщи
само няколко местни новини. Вакуум! Хората живееха под
стъклен похлупак и единствената информация, която получаваха,
беше контролирана от правителството. И кой знае дали това, което
им се поднася от медиите, е фалшива или истинска новина. Беше
сърцераздирателно да гледам хората, които гладуват, докато стоят
под огромната статуя на техния водач, по-голяма от пирамидите в
Египет. Почувствах облекчение и свобода, когато ми върнаха
паспорта и вече бях в самолета, готова да си тръгна. След това
пътуване оцених колко много имаме в България.

Затова смятам за толкова важно да опознаваме нови култури, нови
държави, нови вери – и да ценим различията помежду си.
Разнообразието е факт; приобщаването е избор.

След 1989 г. няколко пъти посетих и Италия, надявайки се да си
намеря работа и да последвам страстта си към изкуството. Италия
бе вдъхновяваща, красива страна, където лесно можеш да свикнеш
да живееш. Вкусна храна, изкуство, история и дружелюбни хора.
Нещо обаче ми липсваше: не само мъжът, когото обичаш, но и
любовта ми към Родината и моите близки. Реших да се върна в
България и да й дам втори шанс.

С моята половинка имахме идеи, пари за инвестиране и енергия. С
много усилия и търпение започнахме бизнес. Беше постоянна
борба за оцеляване. Трябваше да плащаме рекет на местната мафия
и на други групировки по веригата. Накрая не ни останаха
достатъчно пари, за да развиваме бизнеса си. Хората, които не
искаха да плащат или да се подчиняват на правилата, се разделяха
с някой крайник; други – с живота си. Не бяхме само ние, всички
малки собственици по това време водеха една и съща битка. Един
ден казах на съпруга си, че не мисля, че България е на правилния
път, и трябва да направим нещо. Той не хареса предложението ми,

---

* ЦУМ – Централен универсален магазин

но ние, както и много други, загубили надежда, решихме да оставим семейство и роднини и да започнем нов живот в чужбина.

Както обичаме да казваме за онова време, в тунела нямаше никаква светлина. За щастие, успяхме да кандидатстваме за програмата „Зелена карта"* и бяхме одобрени. Продадохме всичко и напуснахме страната. През есента на 1998 г. със свито сърце, но готови да се опълчим на живота, със семейството ми се преместихме в Нова Англия.

Преселването в САЩ беше огромна стъпка. За да сме сигурни, че няма да променим решението си, си купихме еднопосочен билет. Радост и скръб се крият в душата, когато човек се премества в нов свят, където се стреми да запази своята идентичност, а в същото време се опитва да възприеме новата култура и ценности, за да бъде приет от обществото. По време на този процес ние приехме нови традиции и си създадохме нови обичаи. В началото често плачех и бях готова да си събера багажа и да се върна, но останах.

Беше трудно, не само защото ми липсваха майка ми, брат ми и роднините, но и защото трябваше да науча нова култура и език и отново да се доказвам. Тук преживяхме тежки приятелства: загубихме едни и се сдобихме с други. Стълбът, който ни крепеше през тези години, беше българската общност. Не ме разбирайте погрешно; местните хора също се отнасяха с топлота към нас. Но истинската морална и духовна подкрепа получихме от общността български имигранти.

Друго, което ме накара да продължа към моята цел, бяха моята вяра и българските традиции, заедно с езика, фолклора, музиката и танците – това са ключовите елементи, обединяващи българите в чужбина. Дори и зад граница основните компоненти от нашия фолклор се пазят от поколенията, живеещи зад граница. Събираме се, танцуваме, пеем, гощаваме се и говорим. Все още отдаваме уважение към хляба; той е центърът на всяко тържество. Всеки път, когато се чувствах без корени, се обръщах за утеха към вярата и културата си, напомняйки си ценностите, които са помогнали на българите да оцелеят през вековете – чак до днес.

---

* Зелена карта – документ, известен официално като карта за постоянно пребиваване в САЩ. Издава се на имигрантите съгласно Закона за имиграцията и националността (INA) като доказателство, че на приносителя е предоставена привилегията да пребивава постоянно на територията на Съединените щати.

Традициите са чудесен начин да научите децата на културната и религиозна история на семейството, като им дадете родова самоличност – да знаят за своя произход и да имат основа под краката си. Обичаите, традициите и вярванията дават на хората надежда за по-добър живот. За да разбере човек другите култури, първо трябва да изучи своята. Познаването на влиянието на Вашата култура ще Ви помогне да се чувствате „в свои води", когато споделяте преживявания и разбирания, ще станете по-добър в слушането – когато другите разказват за своята култура. Понятието „култура" не се отнася за област или националност. Дори и да не знаем кои са нашите предци, ние имаме култура.

В допълнение към културните групи, от които сме част, имаме и групи, с които се идентифицираме, например: родител, имигрант, инвалид и т.н. Да бъдете част от такива групи може да е идентичност, която влияе върху това как гледате на света и как светът гледа на Вас. Запознаването с различни „самоличности" може да Ви помогне да разберете какво би било да принадлежите към определена културна група и да приемете – а защо не и съпреживеете – различията на другите хора.

Мнозина смятат, че общностите извън България се формират и обединяват поради носталгия. Не е носталгия. Общностите се изграждат върху общи вярвания, мироглед и ценности. Дори когато отиват на събитие, където да направят бизнес контакти, учат в колеж или се срещат с приятели на купон, хората се събират по групи, в които има нещо, което обединява всички. Търсим хора, които приличат на нас или харесват това, което ние харесваме. Възможно е те да споделят вярване, основано на социално-полови или политически разбирания. Върху това се градят общностите, а не поради носталгия.

Тя обаче съществува в общностите, защото не можете да изтриете детството си и спомените си за дома. Може би новите поколения, родени и отгледани в извън България, ще могат по-лесно да се адаптират към новата култура.

Тогава възниква въпросът: трябва ли хората, които се преместват в друга държава, да забравят своето наследство и да се потопят в новата култура? Трябва ли нашите деца да знаят за своето наследство; нужно ли е да запазят чистотата на своите традиции, игнорирайки всичко останало? Или може би по малко и от двете – и да създадат нови традиции от всяка култура?

Няма еднозначен отговор – всеки от нас е различен. Това, което е успешно за един човек или семейство, може да не е подходящо за друг. Някои вярвания може да са толкова силно вградени в личността на хората, че и времето не може да ги заличи. Други вярвания могат да минат и заминат покрай нас, хората открито да възприемат нови или да ги вплетат в това, в което вярват – създавайки нови традиции.

Културата осигурява комфорт и сигурност. Обичаите, традициите и вярванията дават на хората надежда за по-добър живот за тях самите и за децата им. Традициите са чудесен начин да научите децата на културната и религиозна история на рода, като им дадете тяхна собствена самоличност и корени. Аз насърчавам децата ми да учат нови традиции от приятели и колеги и да споделят нашите традиции с тях.

Тъй като по-голямата част от българите са православни християни, много от нас празнуват Великден два пъти – веднъж по католическия календар и после още веднъж – по православния. По този начин ние почитаме вярата на приятели и нови роднини с различен произход в стремежа си да направим децата си част от заобикалящата ни култура.

Какво да кажа за браковете между българи и чужденци? Ще създадат ли проблеми, когато стане въпрос за приемането и запазването на традициите, които да навлязат в младото семейство? Няколко пъти съм присъствала на подобни сватби и със задоволство и изненада бях свидетел на това как двете страни искат да научат нещо за другата култура и уважават чуждите нрави. Времето ще помогне да се преодолеят тези различия. Всяка култура носи нещо стойностно; трябва да опознаем вярванията и обичаите, за да ги оценим.

Важно е да свържете поколения и да поддържате връзките живи. Прекараното време с по-възрастното поколение е чудесен начин за създаване на спомени и дава възможност на хората да се запознаят с вярвания, традиции и културно наследство. Ще ви оставя с цитат от моята книга „Мистичната Емона: Пътешествието на душата, където Петър (жител на едно селце в България) разказва на Стефан (мъж, който от Бостън се е преместил да живее в селото) за знахарката* Султана, която мнозина смятат за вещица.

---

* Знахарка – жена, която лекува с билки

„Когато хората не разбират нещата, ги наричат лоши. Чудеса се случват и днес, но трябва да вярваш дълбоко в сърцето си, преди да можеш да го преживееш".

Така че, културата, наследство, ритуалите, преданията и традициите са свързани с вярването. Културата е храм за човешката душа. Това е нещото, което носим със себе си, докато се скитаме; нещото, което развиваме, когато се адаптираме към мястото, което изберем да наричаме свой дом.

Радостта и болката, породени от думите в тази книга, историите и размислите са и продължават да бъдат моят живот. Толкова сме забързани в света днес около нас, че забравяме да видим настоящето. Всички знаем как да обичаме. Това е естествено чувство за човека. Нека помогнем на другите да се научат да не съдят, а да ценят различното в нас, да ни приемат, независимо от нашата вяра, цвят на кожата или националност.

Глава 1: Вярата

В продължение на векове вярата е запазила българското – от потисническото управление на Османската империя до комунистическия режим в по-ново време. При комунизма църквата беше представена като враг на идеологията; на хората бе забранено да изповядват вярата си. Но дори и през онези години светлината на свещичката и вярата в Бога не напуска българите. Във всяко село, малко или голямо, на най-видното място с кацнала бяла църква. Подобно на фар, тя осветява пътя на живота и насочва хората в морето на непознатото и до днес.

В миналото най-известният и почитан човек в селото след кмета, учителя и доктора е бил свещеникът. Той е този, който в размирни времена, в страх и потайност е кръщавал децата. Свързвал е в църковен брак влюбените – в клетвата им за вярност и любов един към друг, докато смъртта не ги раздели. Той е изпращал вярващите във вечния им път в отвъдното. Църквата е била убежището, където деца и жени са се криели от меча на поробителите, и понякога оцеляват, за да се превърнат в нация, която днес е разпръсната по целия свят.

За живеещите в чужбина църквата играе изключителна роля за обединението на българската общност и запазването на българския дух и вяра. В трудни моменти се обръщаме към вярата и търсим утеха за душата, както и морална подкрепа, за да продължим пътя си и да се изправим пред препятствията в живота. В чужбина, далеч от родите и роднини, религията е свързващото звено, което ни обединява.

Ролята на църквата за българите в чужбина е малко по-различна от ролята й в България. В Нова Англия* в началото църквата беше като читалище – място за срещи. Животът на общността се въртеше около църквата и училището. Това не е изненадващо, защото ние сме възпитани да вярваме в Бога и да почитаме книжността.

Преди двадесетина години Жени Цанкова, жена с мироглед, педагог по професия, организира група доброволци от учители и родители в Нова Англия. Обединени от вярата и любовта към

---

* Нова Англия – област, състояща се от шест щата в североизточната част на САЩ: Мейн, Върмонт, Ню Хемпшир, Масачузетс, Род Айлънд и Кънектикът.

българското писмо и четмо, създадохме училище, което да подпомога развитието на усещането за национална идентичност в децата ни. Тази институция все още няма своя сграда и през годините намира покрив тук и там, но въпреки това успява да поддържа духа на българската книжнина жив. От години доброволците отделят време от натоварения си график, за да преподават или да помагат както могат . Децата в детската градина се учат как да правят мартеници, чудни сурвачки или просто рисуват и оцветяват буквите на българската азбука. Всички класове изучават българската история и култура.

Преди няколко години посетих Чикаго, градът, където живее най-голямата българска общност в Северна Америка. Попаднах в една малка България. Има ресторанти, предлагащи българска кухня, футболни клубове, няколко вестника и телевизия на български език. Посетих църквата, кръстена на свети Йоан Рилски. Не е учудващо, че църквата е не само религиозно място, но и важен социален център. Тя организира и приютява неделно училище и социални събирания, а дейността й е посветена на поддържането на езика и традициите.

Друг маяк на културата е център Магура, място за четене, танцуване на народни хора, представяне на спектакли или просто място, където може да станете част от вълнуващо събитие и да се запознаете с хора от общността. Посещението беше много лично за мен; това бе първата публика, пред която представих една от книгите си, „Светлина, любов и ритуали: български митове, легенди и фолклор. Публиката ме прие така радушно, а аз успях да споделя с тях идеите, заради които започнах да пиша моите книги – един начин да помогна за разпространяването и запазването на българските традиции и ритуали живи за бъдещите поколения, родени извън България или напуснали страната в ранна детска възраст.

В Нова Англия и на други места в чужбина тези институции нямат постоянен дом. Както споменах, поради липса на средства много от тях се управляват от доброволци. Всички те се стремят да намерят начин да помогнат на организациите да оцелеят, за да могат да продължат да събират млади и стари по време на празници и чествания. В продължение на много години всяка общност провежда събития и организира дарителски кампании, за да изгради свой собствен храм и/или сграда, под чийто покрив да подслони училищните и културни събития.

Защо е толкова важно тези институции да имат дом? Защото самите сгради са свидетелство за дълбините на човешката вяра и народност. Изграждането, запазването и възстановяването на църкви е начин за предаване на нашите убеждения. За българите манастирите и църквите имат специално място в историята и в нашия живот – това са не само храмове на вярата, но и стожери на словото и традициите. От векове българските манастири и църкви са културни центрове, родили някои от големите реликви на българската литература.

В продължение на векове монасите са съхранявали религиозните вярвания, изграждали са и са пазели културата на нацията. За мнозина Италия е туристическа дестинация – отиват да видят каналите на Венеция или наклонената кула в Пиза, да хапнат италианска пица и да се насладят на чаша Кианти.

За мен това е и място, където мога да отдам почит на паметта на св. Кирил, един от светите братя, създали глаголицата. Гробницата му е под земята в катакомбите в римската базилика Сан Клементе. Трудно е да се опише усещането, докато бях там, да гледам многовековната стена и образа на св. Кирил. Прясно откъснати цветя бяха поставени на масата. Научих от екскурзовода, че монахини от близкия манастир ежедневно носят свежи цветя.

Светите братя Кирил и Методий използват своята азбука през 863 г., за да започнат преписването на Библията на старославянски. От този ръкопис се ражда и кирилицата, която използваме днес. Делото на двамата братя е важно не само за българите, но и за всички славяни, защото създават национална идентичност – чрез използването на букви и език, важни за записване и съхраняването на историята и културата. Единният език също е начин за споделяне на идентичността на една нация с бъдещите ѝ поколения, така че информацията да не се загуби в слоевете на времето.

Друг български духовен учител е Черноризец Храбър. Предполага се, че това не е истинското му име – „Смел човек в черна риза/ризница“. Но именно то е причината всички да вярват, че той е бил монах. От 893 до 921 г. пише литературното произведение „За буквите“ – в което той се гордее с превъзходството на глаголицата над гръцките букви, които, според него, не са нито най-старите известни на света, нито имат приписвания им божествен произход. Черноризец Храбър говори и за произхода на глаголическата азбука през 855 г. и как тя може да бъде подобрена, и упоменава славянския превод на Библията.

Друга епоха, която е свидетел на възраждането на българския национален дух и социално-икономическо развитие, е времето на османското владичество на България, продължило почти 500 години. Това мрачно време завършва с освобождението на страната през 1878 г. През тези пет века вярата и книжнината са стълбовете за поддържане на националния дух. Българското Възраждане започва през 1762 г., когато Паисий Хилендарски пише своята История славянобългарска. В нейните страници той описва историята на Рилския манастир – за това свято място той казва:

„От цялата българска слава, когато толкова много манастири и църкви се намираха и по-рано в България, по наше време Бог остави само Рилския манастир, за да съществува всичко чрез молитвите на светия отец Йоан. Това е от огромна полза за всички българи, затова те са длъжни да защитават светата Рилска обител и да дават милостиня на манастира, та голяма полза и похвала да получават българите от Рилския манастир чрез молитвите на нашия свети отец Йоан, славния българин светец“.

Нищо чудно, че това място се нарича българска съкровищница. Спиращият дъха манастир е сгушен в сърцето на Рила планина. Когато пристигнете, сте заобиколен от тишината на природата. Накъдето и да погледнете, се вижда зелен килим от борове, а синьото небе се извисява отгоре. Всеки път, когато посещавам манастира, усещам духа и силата на Бога. Въпреки че съм заобиколена от туристи, които правят снимки и жужат като пчелен кошер, за мен това е светилище а не туристическа атракция; свещен храм, в който се зареждам с енергия и пречиствам душата си. Трудно е да уловиш красотата му през обектива на камера. Страхотно изживяване е човек да слуша как пеят белите гълъби, седящи близо до камбаната на една от кулите. Когато гледам студения силует на Хрельовата кула, една от най-старите сгради в комплекса, си припомням как в миналото това е било място за укриване и опазване на съкровищата и реликвите от нападатели. Навремето в манастира имаше исторически музей, чиито експонати бяха преместени в Националния исторически музей в София. Дано по време на тази промяна не са се загубили ценни реликви, защото в края на 90-те години на миналия век беше време на грабеж и разруха.

Манастирът е само една част от посещението ми тук. Крайната ми дестинация е пещерата на св. Йоан Рилски, място, където светецът прекарва седем години от живота си, за да се моли. Пещерата се намира извън двора на манастира – в планината, където посещението не е вече туристическо, а като поклонник, за да се пречистим и да се свържем с неговия свят дух.

За да влезете в пещерата, тръгвате по тясна пътечка покрай малък параклис. Легендата гласи, че той е построен от първите монаси от Рилския манастир. След като минете покрай параклиса, Вашето духовно пътуване започва, докато се изкачвате по няколко каменни стъпала. След минути влизате в тъмна, малка дупка. Повдигам главата си в опит да видя лъча светлина над мен, който е като струя на надежда и благословия от Бог.

След като преминете този тест, продължавате към язмото*, място, където можете да пиете студена светена вода от извора. Хората вярват, че тази вода има лечебна сила. Докосвайки пречистващата течност, можете да почувствате как се разтваря в тялото ви. Когато мия лицето си там, се чувствам като новородено. Според местните хора водата никога не замръзва, дори в студените зимни месеци.

Близо до Рилския манастир се намира още едно вдъхновяващо място, сгушено между пясъчни пирамиди – Мелник. Въпреки че се смята за един от най-малките градове в България, в Мелник има 75 църкви. Всеки път, когато посещавам България, отивам там, за да потърся духовна помощ и да се заредя с енергия. Не е чудно, че в миналото този град се е наричал българската Мека. Дори днес, докато се разхождате между руините и покритите с бръшлян стени и счупени патинирани мраморни плочи, можете да усетите около себе си силата на вярата.

Преди години докато бяхме там на почивка със семейството ми и близки ми, се случи нещо, което искам да споделя. Беше ранна сутрин, градът спеше, а тълпите туристи все още не бяха пристигнали. Исках да намеря църква, където да запаля свещ и да се помоля за здравето на моя скъпа приятелка, която беше с мен духом на това свещено място. Повечето църкви в Мелник са отворени за посещение на туристи, така че е трудно да се намери тихо място за духовно усамотение. Докато подпитвах за такова място, човек в черна роба мина покрай нас и ме чу и се спря. Предложи да ни заведе с моята приятелка в църква, където да запалим свещ и да се помолим. Приехме предложението му и го последвахме по покритата с калдъръм улица, минавайки по тясна стръмна пътека, докато накрая не видях църквичката.

За моя изненада не отидохме до главния вход, а минахме откъм гърба на сградата, където имаше дървена врата, наполовина по-малка от главната врата. Обърна се и ми даде металния ключ. Не

---

* Язмо – светена вода в църквата; също и горски и планински извори, които се смятат за свещени и лековити.

бях виждала подобен ключ преди; по-голям от дланта ми, тежък и ръждясал. "Отворете вратата", каза ми той. С трепрещи ръце се наведох, пъхнах ключа в отвора, чух как езикът на катинара излезе и вратата се отвори. Моята приятелка и мъжът в черно влязоха в църквата пред мен.

„Добре дошли в църквата „Свети Антон", каза мъжът. "Запалете си свещ и се помолете. Не бързайте. Това е вашият дом, Божият дом".

Църквата беше малка, запазена от очите и нашествието на туристите. Миризмата на тамян и восък се усещаше във въздуха. Патината, покриваща иконите, беше запазена, докосвана единствено от ръцете на зографа и очите и устните на молещите се. В средата на църквата се издигаше мраморна колона с увита около нея заключена метална верига. Мъжът срещна учудения ми поглед и отговори на безмълвния ми въпрос. "В тази църква са лекували хора, обхванати от лудост и демони, затова са тези вериги! Но това е било в миналото, помолете се на светеца: ако гледате иконата, светецът може да ви види къде ви боли и да ви излекува".

От дъното на църквата усетих очи върху себе си: очите на св. Антон ме гледаха от иконата. Застанах пред тъмната опушена икона и мълчаливо се помолих да излекува всички болни в душа и тяло!

Не знам колко дълго останахме – имах чувството, че съм в друг, нереален (дори паралелен) свят, времето беше спряло. Когато си тръгнахме, благодарих на мъжа за това, че ни позволи да се помолим в Божия храм. Вървяхме с приятелката ми по обратния път, единствено стъпките ни се чуваха. Силата на този момент остана с мен и до днес.

Друга обител, в която съм ходила като дете с бабите си – а също и с децата си, за да ги запозная с православната вяра – е Черепишкият манастир. Близо е до селото, където прекарвах голяма част от детството си през летните ваканции. В България по онова време религията беше забранена. Но дори и тогава всяка година на 15 август всички в селото обличаха нови дрехи, жените събираха рози и здравец от градината си, месеха питки от най-бялото брашно и приготвиха курбан с агнета или петли.

С кола или автобус селяните отиваха до манастира, заедно със стотици други поклонници от региона и цяла България. Те посещаваха тази свята обител, за да се поклонят на Мария, Божията майка, да се помолят за здраве и да пречистят душите си. Любимата ми част беше пикникът накрая, където всички споделяха храна и разказваха интересни преживелици.

Манастирът не винаги е бил толкова спокоен. По време на турското робство той е опожарен, но по-късно е възстановен от местните жители. Според легендата името на манастира идва от белия цвят на костите на български войници, загинали в битки с османските грабители. В скалите е издълбана малка костница. Ако се изкачите и влезете вътре, може да видите олтар, а зад голяма стъклена стена се вижда ниша, пълна с човешки кости – спомен за онези, изгубили живота си, за да запазят свободата на нашия народ.

Един от любимите ми спомени при посещението на църкви е от лятото на 1998 г. Стоях под купола на разрушената църква "Свети Никола" в с. Емона на брега на Черно море. Вятърът танцуваше в църквата и брулеше напуканите стени, покрити с избледнели стенописи. Усещах погледа на лицата от напуканите икони, рисувани от ръцете на талантливи незнайни майстори зографи преди толкова много векове.

Светлина се процеждаше през прозореца с формата на корабен рул и осветяваше олтара. Църквата бе полуразрушена, с олющени голи стени, но усетих енергията, събирана от векове – чрез кръщенета, сватби и други ритуали, провеждани там от местните жители. Представих си тракийските легиони и грохота от величествените коне, препускайки с гордост, така както е изобразено в Омировата „Илиада". Чух плача на току-що кръстено бебе, музика от тъпан и овчарски кавал, празнуващи сливането на две влюбени души. Представих си жена и мъж, облечени в сърма и гайтани; руменото лице на булката е обрамчено с венец от трендафил, здравец и невен. Представях си деца с плетени кошнички, отрупани с писани великденски яйца. На ръчичките им висяха гривни, изтъкани от бели и червени конци, символ за щастие и здраве.

Вихърът от галопиращи диви коне покрай църковния двор ме върна в реалността, но моментът остана запечатан в съзнанието ми. Тази сцена ме вдъхнови да напиша първия си роман „Мистичната Емона: пътешествие на душата". Цитат от книгата обобщава не само моите чувства от онзи момент, но и духа на българите и тяхната силна вяра:

„Църквата беше на няколко века – разрушавана и възстановявана отново и отново от много поколения; свидетел на много сватби и кръщенета, приютявала безброй хора по време на бедствия и войни. Въпреки че беше стара и полуразрушена, под нейния купол Стефан винаги успяваше да прочисти душата си и да се укрепи".

Глава 2: Вълшебната пръчица на българите

Краят на ноември е. Първите снежинки игриво падат от небето, завихрящи се в палав зимен танц. Студът хапеше безмилостно; семейството ми и аз бързаме да се вмъкнем в топлата кола и по традиция потегляме към близката ферма, да за да изберем отсечено коледно дръвче. Ходим в тази ферма през последните двадесет години.

Навсякъде около нас деца се смеят и се крият между наредените като войници зелени елхички. Двете ни момичета вече са пораснали, така че не се присъединяват към забавлението на малките палавници. Семейства се разхождат наоколо бърборейки, оглеждайки „стоката" и потръсквайки клоните на всяко дърво, за да намерят идеалното. И ние обикаляме наоколо, правим същото. Дишам дълбоко, наслаждавам се на аромата на бор, който прави това годишно събитие специално и радостно. След като подробно инспектираме десет-петнадесет дръвчета, момичетата намират **нашето** коледно дърво.

Както и всички останали на нашата улица, в нашия квартал и град, ние се подготвяме за Коледа. Започнахме тази традиция по избирането на коледно дърво, след като пристигнахме в Америка. Беше късна есен, бяхме на ново – непознато – място, дните ставаха все по-мрачни и студени. Имахме много ангажименти, които заемаха цялото ни време, докато установяваме новия си живот: трябваше да намерим нов дом, училище за децата, работа за нас. Трябваше ми нещо, с което да привдигна духа си и да стопля моите най-близки хора.

Спомням си, че едно от първите неща, които направихме, когато се настанихме в първото ни жилище в Америка, бе да намерим истинско коледно дръвче. Не беше голямо, но определено беше специално, защото постави началото на нова традиция. Онази Коледа получихме много подаръци за децата от хора, които дори не познавахме. Всички бяха щедри, посрещнаха ни дружелюбно в квартала. Гостоприемството, заедно с лампичките на нашето дърво, помогна тъмната зима да отмине неусетно.

Дървото тази година беше по-високо от нормалното, което избирахме, но не спорих. Децата ми го избраха и това донесе усмивка на лицето им. Съпругът ми е сръчен, на двора в къщи той отряза ствола на елхата, за да е сигурен, че ще имаме достатъчно място до тавана, за да поставим ангела на върха на дръвчето. Изправихме го на традиционното му място близо до камината, досами прозорците. На стената зад дървото виси огледало във формата на слънце. Харесва ми, защото когато дървото е напълно украсено, огледалото прилича на ореол зад ангела.

Въоръжени с чаша горещо какао, поглеждаме към голите клони. Всяка година трябва да решаваме кой ще постави лампичките, тъй като както обикновено са заплетени, а за развързването на възлите е необходимо време. Освен това този, който поеме тази нелека задача, трябва да провери и дали всички лампички работят. Обикновено мъжът ми взимаше едно от момичетата, а другото помагаше с играчките за елхата.

Преди двадесет години купихме кутия с лъскави златни орнаменти от месната дрогерия, но оттогава колекцията ни стана по-голяма и по-богата на спомени. Всяка година като част от традицията с дръвчетата купуваме и нова играчка от място, което посещаваме заедно или от китни малки местни магазинчета и художници, а също така получаваме играчките от приятели и учители. Вдигам малка червена ябълка – с етикетче. Подарък от една от учителките на малката ми дъщеря през 2001 г. Елен с червен нос наднича от кутията. Направихме тази играчка като училищен проект с децата. Гледам в кутията и всяка една играчка ме кара да се усмихвам от оживяващите спомени.

Накипрено с блестящи шарени играчки и мигащи лампички, коледната елха оживя – златиста и изпълнена със спомени. Ангелът на върха гледа към нас с усмивка и аз се моля да ни пази, да ни дава здраве и да носи радост и мир на всички. Котката се крие в клоните под дървото и чака подходящия момент, за да грабне ниско висяща играчка или да захапе кабела на лампичките. Научила съм си урока от предишните ѝ приключения и сега поставям няколко пластмасови играчки по най-ниските клонки – специално за нея.

Кучето ни не е с нас тази Коледа – затова празникът ни е леко помрачен. Взехме го една Коледа преди много години – малка пухкава топчица, отгледахме го с любов и той прекара много щастливи Коледи с нас. Приехме го като член на семейството.

Поставям специално саморъчно направена играчка за него, за да се уверя, че той е с нас духом.

На Коледа не всичко е толкова спокойно и идилично както украсата на дървото. Изпадаме в стресова ситуация: обикаляме да търсим подаръци в последния момент в отчаян опит да намерим точно този подарък, който искат децата и близките ни. Рекламите с коледна тематика тук започват от юли, но всички обикновено чакат последната седмица преди Коледа, за да направят покупките. Единственото изключение са може би пенсионерите, които купуват всичко от разпродажбите от предната Коледа. В предпразничните дни човек губи по два часа в търсене на място за паркиране; няма да споменавам времето, прекарано в препълнените магазини в търсене на идеалния подарък. Заслужава си обаче да положиш всички тези усилия и да видиш усмивката и радостта, които носят подаръците. След време обаче, за съжаление, тези подаръци, избрани с много мисъл и старание, стават нещо, на което преставаме да се радваме. А избирането на подарък за пораснали ти деца си е мисия невъзможна. Чудно защо. Изобилие, прахосничество, промяна в ценностната система.

С годините трупаме непотребни вещи и дрехи, дори забравяме какво имаме – животът ни е отрупан! Вкарваме всичко в килера и дори не помним кой ни ги е подарил. Усмивката, която ни донесоха, когато ги получихме, е отдавна забравена. През последните няколко години си подаряваме преживявания под формата на билети за концерти, пътувания, посещения на винарна/пивоварна, спортни игри на любими отбори или разходка в някоя шоколадова фабрика, уроци по рисуване или танци. Прекараното време с близките е безценно, но понякога трябва да мине време, за да го осъзнаем.

Коледа невинаги е била такава за мен. В България този празник беше забранен. Повече от 45 години като комунистическа страна беше неуместно да се честват религиозни празници. Коледният ден, като всеки друг религиозен празник в България, беше работен ден. Нова година беше нашата „Коледа". Въпреки че всеки можеше да празнува Нова година без да се притеснява, повечето хора, включително моето семейство и баби и дядовци, тайно изпълняваха стари коледни традиции на този ден.

Нямахме Дядо Коледа, а идентичната руска версия, наречена "Дядо Мраз" – дружелюбен старец с дълга бяла брада и червен костюм. Помощничката му се казваше Снежанка. Той раздаваше подаръци на децата от голям чувал, но не влизаше през комина. Идваше преди полунощ, през входната врата и ни посрещаше лично. Получавахме подаръците вечерта на 31 декември вместо на Коледа. За нас, децата, датите бяха без значение, важното бе, че имахме подаръци.

Всяка година чаках да получа кукла, която исках да имам от дълго време, или блуза, която месеци наред гледах на една витрина. Подаръците бяха толкова ценни за мен, че когато получих мечтаната кукла, се страхувах да си играя с нея. Понякога с месеци я държах в кутията. Сигурна съм, че майка ми все още има някои мои кукли в оригиналните им кутии или в кашоните „със спомени". Дори обикновен портокал беше страхотен подарък. Празненствата на Нова година бяха единственото време, когато хората имаха възможност да опитат от екзотичните – за тогава – банани, портокали и мандарини: беше не възможно през останалата част от годината да се намерят на пазара тези плодове.

Нова година беше време за създаване на спомени. И какъв по-добър начин от храната, подправките и миризмите. Въпреки че България е малка страна, нейната кухня е разнообразна: ястията й са като колоритните багри, вплетени в килимите и чергите; представляват гостоприемството и богатата духовност на нашия народ. Храната събира хората около масата, където няколко поколения могат да общуват и да изграждат невидими връзки. Дори котките на баба чакаха преспокойно до печката, за да вкусят от специалния празничен хляб и традиционните гозби.

Научих от баба повечето древни ритуали, също и тайните при месенето на хляб, използването на билки, подправки... За някои аз сякаш само я наблюдавах, докато за други й помагах да се подготви и да подреди празничната трапеза. Преди вечеря тя пречистваше или както тя казва „кадеше" къщата и хляба с тамян, поставен върху горещи въглени. Ходех след нея като пале, опиянена от миризмата, и чаках с нетърпение да ми даде металната лопатка, в която държеше жаравата, за да мога и аз да гоня злите сили с миризливия пушек.

След като всичко е готово, сядахме около масата – да ядем и да си поговорим. На Нова година масата за вечеря бе подобна на коледната маса. На трапезата присъства традиционният обреден хляб с късметчета и паричка. В къщата на баба ми нямахме огнище, но тя готвеше и печеше хляб на стара печка на дърва. Вместо само обичайните вегетариански ястия, които обикновено имаме на Коледа, новогодишната трапеза съдържаше разнообразни традиционни ястия, включително и месо. Майка и баба ми приготвяха вкусни сушени червени чушки, пълнени с ориз, подправки, а понякога и сварен, чукан боб.

Въпреки че беше забранен празник, Коледата за българите беше важен празник. В миналото е отразявал началото на зимните празници: след като реколтата е събрана, виното зрее в бъчвите, а зърното е смляно и прибрано в хамбарите, всички са готови да си починат и да празнуват. На Бъдни вечер семейството се събира около специално подредена трапеза и отдава почит към починалите предшественици на дома. Това е нощ, изпълнена с магия и любов.

Някои от тези традиции се съхраняват и практикуват и тук, в чужбина, сред българска общност. Семейства и приятели се събират, за да празнуват с постни ястия и известната содена питка с паричка и късметчета. Всеки подготвя това, което е научил от баба, майка или от … интернет. Това е свят без граници, в които имаме достъп до всякакъв вид идеи и нови рецепти, за да направим празника уникален за близките ни. На Коледа пием и домашна ракия.

Който не успее да намери късмет в питата, има втори шанс в навечерието на Нова година, когато се прави новогодишна баница. Домакинята слага късметчета в баницата и се старае да направи така, че всеки гост да получи парче с късметче. Баницата и тук е Кралицата на българската кухня и предпочитана от всички.

Превръщаме традициите специални и незабравими празненства, когато ги споделяме с нашите съседи. Те – в замяна – споделят специалитети от своята култура. Баклавата на гръцката ни съседка е известна на цялата улица. Тя приготвя и т.нар. спанакопита (гръцка баница със спанак), която, признавам, е мно-о-о-го вкусна. Познаваме и италианско семейство, което приготвя разнообразни ястия и поднася изобилие от вино за цялата улица в квартала ни; да не забравя да спомена и специална вечеря с многобройни морски дарове – на връх Бъдни вечер (La Vigilia)! – една прекрасна традиция за Коледа, възникнала в Южна Италия и известна като Празника на седемте риби. Разбира се, пекат и хляб и са възприели традицията ни „монета за късмет".

След като отмине коледната треска, броим с нетърпение и дните до Нова година. Както казваме на български: „Нова година, нов късмет". Тъй като през по-голямата част от живота ми Нова година беше Новата Коледа, не мога да гледам филм и спокойно да ям китайска храна у дома пред телевизора – нещо, което е традиция в Америка. Това все още е важен ден за семейството и приятелите ми. Обикновено се събираме в къщи или в къщата на приятел или в някоя вила близо до някое езеро или в планината и приготвяме разнообразна храна в български стил. Два дни готвим и чистим, печем хляб и правим баници с късмети. Както се казва: здраво работим и лудо се веселим.

С настъпването на последните минути до Новата година нивото на въодушевление се повишава. Вдигаме тост с пенливо шампанско и танцуваме дунавското хоро, докато с нетърпение очакваме пристигането на сурвакарите. Ако питате децата ми, сигурна съм, че ще кажат, че това е странен ритуал. В днешно време сурвакари са най-младите членове на семейството, децата. Учим ги как да пеят и изпълняват ритуала: нареждат „Сурва, сурва година" и сурвакат всеки гост по гърба със сурвачка за здраве и успех през новата година. За да сте сигурни, че ще получите късмет, трябва да дадете пари и дарове на сурвакарите.

Сурвачките в България по традиция са направени от дрян, защото това е най-здравото дърво. Всяка сурвачка бива уникално украсена с прежда, вълна, пуканки, сушени плодове, мъниста и други дребни предмети. Преди години преподавах в българското училище и учех децата как се правят. Забавно занимание е „да се преподава" българско наследство. Аз наричам сурвачката вълшебна пръчица – в сурвачката се крие древна история и неземна сила за прогонване на злите духове, които по време на зимното слънцестоене могат да прекрачат прага между духовния свят към земята на живите.

Тук, в САЩ, няма дрян, така че импровизираме. Ако намерим плодово дърво, добре, но когато никое дърво не е подходящо, използваме каквото имаме. Идеята е да продължим традицията за „вълшебната пръчица". Правенето на сурвачка е възможност стари и млади да бъдат заедно и да създадат нещо, което ще запомнят и предадат на децата си.

Наздраве за новата успешна година! Да напълним домовете си със здраве, деца и изобилие.

Глава 3: Вино и любов

Съпругът ми и аз живяхме и отгледахме децата си в една и съща къща повече от 20 години. Когато се преместихме там, един от първите ни проекти беше да изградим асма. Той е сръчен и след няколко седмици дървената конструкция се появи в двора. Искахме както в България малките лозички да пораснат и да образуват „зелен" тунел в двора.

Лозата растеше заедно с нашите деца, с всяка изминала година ставаше все по-силна и по-голяма, създавайки пищен балдахин над вътрешния двор и декоративното езерце. Превърнахме го в място за почивка и развлечения. Събирахме се с приятели под сянката на листата на астмата около кръглата маса, за да честваме рождени дни, приятелства и нов живот. През пролетта събирах крехки пресни листа за прословутите лозови сърми с ориз и кайма. Аз ги наричам „българското суши". В топлите летни дни асмата ни е любимо място за отмора. През есента гроздето привлича птици и пчели и ние споделяме сладките плодове с тях.

Позволете ми да отворя една скоба: всеки път, когато отидете в българска къща в Нова Англия, щата Виржиния, или друг щат с умерен климат, има голяма вероятност да намерите лоза или малка спретната зеленчукова градина. Дори да са малки, но ще се изумите от разнообразието, което се ражда в тези градини. Българите са известни градинари и това важи с пълна сила и тук. Освен всичко друго при някои по-ревностни стопани можете да намерите дори коприва, мащерка, лапад и още няколко редки вида „зеленяши", известни с лечебната си сила. Друго известно и обичано растение е българският здравец – цвете и билка, от векове възпявана във фолклора.

Да се върна на астмата: тя е мястото, където всяка година на 14 февруари празнуваме деня на виното и любовта. Виното заема важно място в живота на българите. Всеки регион в страната е известен със специфичен вид вино – с уникален вкус и качество. България беше един от най-големите производители на вино, но загуби мястото си след смяната на правителството през 1989 г. За славата на българското вино се пише по целия свят – то се харесва от най-изтънчените ценители на хубавите вина.

Историците споделят, че Уинстън Чърчил е бил един от тези известни ценители. Всяка година той си е поръчвал вино от Мелник, градче, известно със своите червени вина. Климатът и почвата раждат тежко, плътно вино с уникален вкус. В Мелник, където има не повече от 300 жители, е създаден музей на виното, а почти във всяка къща има изба, издълбана в скалите, където се съхранява тази вълшебна червена течност. Майсторлъкът в правенето на вино се предава от поколение на поколение.

Както традицията повелява по селата в България, и моите баби и дядовци произвеждаха вино. Майка ми все още спазва тази традиция жива с едно малко лозе. Поддържането му е ритуал, който тя изпълнява през цялата година: започвайки с преклонение пред Бога на виното през м. февруари. След месеци усилена работа тя бере гроздето в края на есента и го превръща в свещен червен сок и го прелива в дървени бъчви, използвани от много поколения. Важна част от процеса е почистването на бъчвите с топла вода и билки отвътре и отвън, за да е сигурна, че всичко е чисто за младото вино. Освен това поставя и по една памучна торбичка, отново пълна с билки, във бъчвите, за да направи вкуса на виното уникален и да разкрие неговата лечебна сила. Всяко домакинство има своя собствена рецепта. Една популярна съставка е жълтият кантарион, билка, използвана от лечители и знахари.

Преди 1941 г. баба и дядо ми са притежавали малък крайпътен хан, основан още през XIX век от нашия прадядо Зарко. Намираше се в центъра на с. Люти дол, на главния път за София. Носеха се много легенди за известни хора, които са отсядали в хана, включително една за Васил Левски, един от най-обичаните герои, неслучайно наречен и „Апостола на свободата“. А по времето на двете Световни войни в мазето на хана са се криели жени и деца, за да оцелеят при окупацията и по време на бомбардировките. Комунистите имаха много причини да впишат семейството ни в черния си списък.

Все още си спомням Зарковския хан – малък комплекс от две сгради. Основната сграда бе изградена със солидна основа и стабилна конструкция. Дървените колони бяха подобни на тези, които виждаме и в манастирите, издълбани от борови стволове и оцветени от патина.

Когато мине човек през двете дървени порти, основната къща се падаше вдясно. Построена в края на 1700 г., покривът й беше покрит с черни каменни плочки, покрити с мъх, нещо типично за българските възрожденски къщи и манастири. В основната къща пътниците са ползвали кухнята, по-голяма стая, използвана като място за пиене и хранене, и бръснарницата. Дядо ми беше бръснарят, а също и готвачът. Уханието от пилешките супи и бобена чорба с пресен джоджен все още ми навяват мили спомени. Баба ми му помагаше да готви и да сервира храната, виното и други напитки. Баба майстореше и превкусни пити: нямаше нищо по-примамливо от парченце топла ароматна коричка хляб, изпечен в глинената подница* на огнището на чардака. Любима ми беше нейната баница, приготвена от домашно точени кори, опърлени на гьоза на печката, наредени на пластове, поръсени обилно с масло и сирене. Простичко, но вкусно.

Вдясно от портите имаше малка градина с асма, храсти с горски плодове и касис, няколко лехи с подправки и билки и кладенец в средата на двора. Не използвахме кладенеца, защото след революцията през 1944 г. някой беше хвърлил мъртво животно. Отворът на кладенеца беше покрит с дървени дъски и на всички деца беше изрично забранено да се приближават до него. Баба ни казваше, че в дълбокото гърло на кладенеца живее таласъм†. Мислите за този ужасяващ дух бяха достатъчни, за да ни държат настрана.

Дворът беше пълен с патици и пилета. Вляво от къщата имаше покрит сайвант, където пътешествениците „паркираха" своите файтони и хранеха и пояха конете. След 1944 г., по време на национализацията, това място беше превърнато в селска кошара, място за селяните да пазят овцете и другите животни. Непознати и познати влизаха в двора ни както в Аврамов дом, мухите летяха,

---

* Подница – кръгла керамична тава с покритие
† Таласъм – дух, създаден чрез погребване на човек или животно в стена, за да изпълнява „функцията" на защитник на мястото, където е „зазидан"

привлечени от животните. Не беше удобно, но баба и дядо нямаха избор, освен да се подчинят на власт-имащите и да дадат дома си на правителството. Тъжно ми беше да гледам как баба и дядо се криеха в една от стаичките на собствената си къща.

Вдясно от портата се издигаше и по-модерна, двуетажна бяла сграда, която имаше 5-6 стаи за гости. Стълби от външната страна водеха към втория етаж, който разполагаше с дълга тераса, покрита с теракота.

След 1944 г. новият режим конфискува сградата – за да се превърне в местния Наркоп – и остави само една стая, където да живеят баба и дядо. Баба нямаше пенсия, затова събираше билки, гъби и охлюви, които да продава и да припечелва за прехрана. Въпреки че баба ми изгуби всичко, за което се беше трудила, никой и нищо не можа да сломи духа й и звънкия й смях и тя си отиде от този свят на преклонната 99-годишна възраст.

След 1989 г. не ни върнаха хана, защото комунистите разрушиха сградата. Това беше тъжно, не само защото принадлежеше на семейството ми, но и защото старият хан представляваше историческа реликва. Баба ми каза, че прадядо ми – беден, но работлив и мъдър човек – го е купил на търг от един манастир. По време на търга за хана е имало условие: който наддава в момента, в който свещта угасне, ще получи сградата. Всички наддавали пламенно, цената се покачвала с по 100 лева всеки път, но прадядо ми е предлагал само по един лев върху последния наддаващ, когато му е идвал редът. Търпеливо изчаквал и накрая спечелил – успял да купи сградата.

След като правителството пое властта, ханът спря да работи като такъв, а държавните служители превърнаха повечето стаи в складови помещения. Едната стая беше пълна с тютюневи листа, друга – с билки. Съхраняваха и стари радиостанции, легла, празни бутилки, чаши и чинии…

Всяко лято през ваканцията си играехме на криеница с братовчедите си по стаите, обикаляхме да търсим тайнствено съкровище. Едно от големите ни открития беше старо радио Philips – работеше, но беше застопорено на една станция. Когато отворихме задния капак, видяхме, че жичката, която мести потенциометъра за избиране на станции, беше запечатана с червен, восъчен печат, което ни пречеше да преместим станцията. Бяхме деца и не разбирахме много-много какво можем да слушаме или какво можем да казваме по онова време.

Някои от бившите стаи за гости бяха превърнати в цех за изработка на пластмасови бутилки. Още помня миризмата на горяща пластмаса и малките бели и зелени топчета, които се разсипваха по двора и плочките на терасата. Заплащането в цеха беше добро, но на баба ми не беше разрешено да работи там. За да оцелее, тя беше принудена да събира билки и къпини и да работи ангария* на други хора – по чужди ниви и лозя. Но цял живот си остана горда българка. Дори когато къщата се напълни с непознати, тя успя да поддържа духа си, да готви и да меси ароматни пити, да ни разказва истории, да ни учи на традициите, да ни разказва историята на нашия род и да превръща всеки делник в празник. Едно нещо, което си спомням от нея, е поговорката „По-добре да бъдеш в устата на хората, а не в краката им".

Най-забележителната част от къщата след огнището беше старата круша – огромно дърво, което предлагаше хладна сянка през лятото и сочни плодове през есента. Наблизо се намираше и входът към избата. Поне това пространство беше запазено и се използваше само от моето семейство, но не в същата степен, както когато ханът функционираше като такъв и посрещаше гости. Избата беше място със собствена душа, винаги студено и тъмно, с мирис на смесица от вино и плесен, а въздухът направо се лепеше по лицето. Бъчвите приличаха на великани с огромни кореми, препасани с колани. Имаше и малки бъчви – за ракия, каци за пращина и големи бъчви, наречени виници. Без да преувеличавам, 15 души лесно биха могли да се поберат в една виница. Не мисля, че това е развинтено детско въображение – бъчвите бяха огромни; след отчуждаването те бяха празни и разсъхнати, но напомняха за старите хубави времена.

Баба беше бедна и използваше вино, мед и билки, за да лекува кашлица и други болежки. Смесваше вино и черен пипер, вино и

---

* Ангария – задължителен данък, който задължава селяните да се трудят безвъзмездно определен брой дни в годината на феодала или владетеля

мед и приготвяше „греяно" вино с различни билки. Дядо ми пиеше виното и ракията, произведена от гроздето от двора, за да излекува душата си и да забрави откраднатото, докато един ден не ни напусна неочаквано, с замъглен от алкохола поглед.

Сградата на хана беше разрушена през 80-те години на миналия век, а сега мястото е заградено с метална ограда, обрасло с бръшлян и бурени. Местните жители, които се броят на пръсти, пускат магаретата и козите на паша в двора, където е останала единствено една разнебитена – тъй тъжна – беседка, боядисана в цветовете на българския флаг, за да напомня за комунистическата епоха. В деня, когато разрушиха сградата, нещо в мен се пръсна: всички ние загубихме частица от историята на семейството ми, спомените от детството ми. Дядо ми прекарваше по-голямата част от живота си в опити да спаси дома си, изпращайки жалби от един съд до друг – и така с години. Обикаляше по адвокати – с неизменното си кожено куфарче, пълно с документи, доклади, предложения и решения. Стара снимка в пощенската станция показва центъра на селото и хана на баба ми и дядо ми. Когато с. Люти Дол е създадено през 1428 г., в началото е имало едва 15 семейства. Роднините ми са от стар род, Зарковци, и те са едни от основателите. След чумата през 1830 г. населението намалява, но там се преселват и семейства от други села. През 30-те години на миналия век селото е имало над 1300 жители, но сега бавно умира – като много други села в България. В момента там живеят предимно по-възрастни хора или новодошли, които търсят спокойствие и чиста природа. Младите поддържат духа жив, като изпълняват ритуали и правят събори и родови срещи; празнуват празници, сватби и именни дни. Имам по-скорошна снимка, но мястото, където беше къщата на баба и дядо ми, сега е празно. Ако не заснемем или не запишем историята, никой няма да знае за къщата, стояла там от векове, свидетел на османската, немската и руската окупация, както и на много други исторически моменти.

Виното и именните дни са на почит и в Америка. Имаме приятел, който празнува имен ден на Свети Валентин. По традиция посещаваме дома му и му носим подарък и добри пожелания. Събираме се много хора. Пием вино и танцуваме до зори. Да, дори ако празникът е през седмицата, купонът се прави в български стил. Да, българите работят усилено, но и знаят как да се веселят.

Както казва Кина, една от лелите ми: „Какво повече му трябва на човек, ако има вино и любов?“

Глава 4: Мартеницата – конец надежда

Понякога се нуждаем от знак свише или чудо, което да ни поощри и овласти. Както Опра Уинфри* обича да казва: „Животът ни шепне; добре е да се вслушаме". Важно е да разбираме знаците на съдбата и да следваме интуицията си.

Преди години, в мрачен, дъждовен пролетен ден, тътрех крака и вървях с наведена глава – бях напълно погълната от лични и професионални проблеми, които задушаваха душата ми. Прекосявах градската градина в Бостън на път към моя офис. Не виждах и не чувах нищо, затворена в моя свят. Гневът ми ме стискаше гърлото, а палтото ми ми тежеше като олово.

Изведнъж, в цялата тази сивота видях танцуваща пеперуда между голите клони на близкото дърво. Когато се приближих, за мое най-голямо учудване видях мартеничка, трептяща от полъха на лекия ветрец. Знаех със сигурност: това не беше обикновена гривничка, а Пижо и Пенда, момчето и момичето от българския фолклор, направени от червен и бял конец.

За хората, минаващи покрай мартеницата, този „амулет" не означаваше нищо. Но за мен това бе лъч светлина, проникващ през облаците. Усетих, че някъде близо до мен някой споделя културните ми вярвания; някой беше сложил мартеницата си на клона на това дърво – с надежда за здраве и добри поличби. Хората минаваха, разхождаха кучетата си, други тичаха за здраве или разговаряха и си правеха снимки. Спрях, за да разгледам лицата им, надявайки се да забележа човека, който може да е закачил мартеничката. Търсех знак. Може би щеше да се върне и да я докосне.

Хората ми се усмихнаха, докато ме подминаваха, а група весели момичета спряха да се докоснат до мартеницата, но не знаеха какво представлява. Дори не знаеха къде е България, но това се очакваше. Гордо обясних какво означава мартеницата и нейната

---

* Опра Уинфри – американска телевизионна водеща, продуцент, актриса, общественик, водещ на свое токшоу (Oprah Winfrey Show, 1986-2011 г.). Сп. Forbes й нарича най-влиятелната жена за 2007 г., но повече от 15 г. тя е сред топ 10 на най-влиятелните личности в различни области.

история. Те показаха интерес; учудиха се. Една от тях каза, че смята, че това е амулет от Кабала или подобен сакрален ритуал. който е виждала в един курорт в Мексико. Направиха си няколко снимки и се върнаха в своя си свят. Весели трели се посипаха върху мен от върха на дървото. Малко настръхнало пиленце ми говореше и се опитваше да ме развесели и да ми помогне да прегърна настъпващия ден.

Вятърът издуха облаците, а слънцето цъфна и покри клоните и мартеницата със злато. Няколко капки вода се стекоха от клона върху косата и лицето ми. Избърсах бузите си с длан и се почувствах освежена от студения им досег. Слънцето погъделичка лицето ми. Въпреки че носех няколко ката* зимни дрехи и държах чантата със служебния ми компютър, аз се почувствах лека като перо, готова да полетя, понесена от ветреца. Тръгнах си от градината, обърнах се няколко пъти – да погледна още веднъж танца на момчето и момичето от конци.

Денят ми мина неусетно и на път за вкъщи във влака погледнах през прозореца и не отлепих очи от последните слънчеви лъчи. Тъмнината отмиваше деня, подготвяше ново чисто платно за утре – когато всичко щеше да е по-добре. Сигурна бях. Мартеницата за мене беше знак от Вселената да прегърна положителното в очакване на ново начало. Както казва Байрон: „О, ветре, дойде зимата, значи пролетта съвсем не е далеч".

След като споменавам мартеницата, нека да ви разкажа какво се крие в нея и защо и до днес в България и по света я почитаме и носим всяка пролет.

В българския фолклор и традиции мартеницата е символ на настъпването на пролетта и на новия живот – на новото начало. Разказват се няколко легенди. Ще ви споделя тази, която е описана и в моята книга „Светлина, любов и ритуали: български митове, легенди и фолклор".

Преди много време цар на име Пижо обичал жена Пенда. Когато разбрал, че Пенда е отвлечена, Пижо поискал да я потърси, но не можел да напусне царството си. Затова изпратил пощенски гълъби със съобщения, в които питал верните си поданици дали са

---

* Кат – пласт, слой, етаж. В случая: няколко „етажа" дрехи – една върху друга.

виждали Пенда. Освен това наел един смел, доверен войник, който да я търси. Мъжът тръгнал в горещ летен ден и я търсил чак до настъпването на зимата.

Далеч от родината си войникът срещнал възрастна жена и единадесет старци, седнали на студената земя до един кладенец. Старицата се мъчела да стане от земята и войникът й помогнал, след което вдигнал и кофата с вода от кладенеца, и й дал да пие.

Тя казала: „Аз съм Баба Марта, а това са моите братя през останалите единадесет месеца в годината. Тъй като си беше любезен с мене, ще намериш това, което търсиш".

Скоро войникът открил къщата, в която Пенда била затворена. Той я развързал и таман щели да тръгнат, за да я заведе у дома, когато мъжът, който я бил отвлякъл, ненадейно се върнал. Двамата мъже се сражавали в продължение на много часове. Войникът се изморил и се опасявал, че няма да издържи. С последни сили обаче успял да убия лошия, след което се сринал на земята от умора. Пенда му дала да пие вода.

„Нашето пътуване обратно към дома ще отнеме много време", казала тя. „Трябва да уведомя Пижо, че съм в безопасност". И написала бележка и я сгънала като фунийка. Завързала я с бял конец за крака на пощенски гълъб, който Пижо изпратил, и пуснала птицата.

По пътя гълъбът си наранил крачето. Текналата кръв оцветила конеца. Когато птицата най-накрая пристигнала при Пижо, той прочел бележката и много се зарадвал. Завързал оцветения с кръв конец към ризата си и не го свалил, докато Пенда не се прибрала у дома.

Когато преди няколко години със семейството ми пътувахме из България, посетихме малко селце на юг, наречено Златолист. Посещението ми там не беше случайно: бях чувала много за това уникално място като мощен енергиен център и духовно средище и исках лично да го посетя и да науча повече. Тъй като се намира близо до Мелник, всички от моето семейство се съгласиха да си направим еднодневна екскурзия. Златолист е мястото, където любима българска пророчица и лечителка преподобна Стойна (1883-1933 г.) е живяла живота си в храм, носещ името на Св. Георги Победоносец. Хора от цяла България и Европа са идвали, за да се срещнат с нея и да я помолят за съвет, билки или целително чудо. Тя все още е жива в спомените и разказите на местните хора – с чудесата, които е извършила. Дори баба Ванга, известната пророчица, е пътувала до Златолист, за да се зареди с енергия и да се моли на светицата.

Пътят до селото, разрушен от дъждовете и годините, беше покрит с кал. Това ми напомни за пътя към Емона, за който съм писала в книгата си „Мистичната Емона: пътуването на душата". Страхувах се, че колата ни ще се счупи, но най-накрая видяхме блестящия като слънце кръст и разбрах, че сме пристигнали пред храма "Свети Георги".

Тишина. Вездесъща тишина. Нямам думи как да я опиша.

Влязохме през дървената порта. Зад бялата стена погледа ни грабна зеленината и пъстротата на църковния двор. Уханието на билки и жуженето на пчелички, прелитащи от цвят на цвят, ме върнаха в детството. Хората вървяха под обедното слънце, а храмът беше отворен за посещения. Лицата на светците ни посрещнаха. Няколко души отдаваха уважение и се молеха пред олтара. Свещите осветяваха лицата им, създавайки кехлибарено сияние. Дървеният под скърцаше при всяка моя крачка. В средата на храма, под купола, върху мраморна плоча видях издълбан двуглав орел, символ на Бога, а според някои хора, печат на българската Църква. Смята се, че това място е белязано от църквата, тъй като има висока енергия и лечебна сила, затова болните хора свалят обувките си, за да стъпват боси върху плочата и да поемат енергията в тялото си.

Една дребна възрастна женица, забрадена с кърпа, ни даде листовка и посочи края на помещението, където стълби водеха към втория етаж. Изкачихме ги тихомълком. Багри и цветове ни заобиколиха горе: цветни килими, икони на светицата, цветя и много дребни подаръци. Икони с лицето на преподобна Стойна бяха подредени по пода, изрисувани от художници и случайни хора. Да, Стойна е била сляпа, но докато гледах ореола от светлина на една икона с нейния образ, почувствах че пронизва душата ми с поглед. В дъното на голямата стая имаше масичка и тетрадка, където хората можеха да напишат своите молитви и/или желания.

"Помоли се и напиши желанията си, чадо! Стойна ще ти помогне!" – друга баба в тъмни дрехи ми подаде химикалка.

Не исках да я разочаровам, затова се наведох над тетрадката. Какво бих могла да си пожелая? Здраве. Здраве, щастие и любов за всички.

Отместих се, оставих химикалката, а жената зад мен го грабна и се наведе над тефтера. Нарисува кръст и започна да пише. Виждах как лицето ѝ се променя; това беше поглед на надеждата. Тръгнах си, оставяйки я на спокойствие да напише своите съкровени желания, а аз продължих да разглеждам наоколо.

Вдясно беше стаята на Стойна, където е прекарала живота си в молитва и пост. Това беше малко помещение, достатъчно голямо, за да побере едно легло. Но това, което ме остави без дъх, беше таванът, покрит със снимки: вселена от лица на момичета, момчета и стотици очи, които ме наблюдаваха отгоре. Чух молитвите на техните майки, бащи, роднини – молитви за надежда. Очите ми се напълниха със сълзи и аз избягах. Това не можах да издържа – твърде много болка. Трябваше да изляза. Имах нужда от въздух.

Навън, в средата на двора имаше едно необикновено дърво – явор. Виждала съм стари дървета и преди, но това дърво е старо колкото България. Представете си, ако дървото можеше да говори. Чудя се колко ли приказки и истории бихме могли да научим. То си стоеше там, изправно като исполин, вече повече от 13 века. Клоните му бяха покрити със зелени листа и мартеници, а по напуканата кора на ствола му имаше пъхнати стотици листчета надежда: молитви за здраве, благоденствие, любов, детенце или просто щастие. Всеки пътник, който се е отбивал, се е молил за нещо. Една легенда твърди, че дървото може да прави чудеса и всеки, който застане под короната му или го прегърне, ще се излекува, а бездетните ще се добият с рожба. В двора на манастира има и „вълшебен" кладенец. Просто трябва да се наведете над него и да прошепнете желанието си над вечната вода – и желанието ви ще се сбъдне.

Чудесата изобилстваха във въздуха на това свято място. Независимо дали вярвате или не, това е кът за размисъл: за живота, за близките, за това какво е важно в живота. Спокойствието и чистотата наоколо помагат за намаляване на стреса и зареждат с енергия.

Върнах се обратно към вековния явор и се заслушах в гласа му. Погледнах над главата си. Зелените листа, ведно с бялото и червеното на мартениците, ми напомниха за купола на храм – храм на надеждата.

Нашият живот е пътешествие, изпълнено с препятствия, радост, любов, разочарования и болести. Когато паднем, трябва да се изправим, да изтупаме праха от себе си и да продължим напред. Да накладем нов, още по-голям огън. Надеждата за чудеса и изцеление е нещото, което ни помага да продължим да се борим. Мартеницата е обичай, създаден от предците ни – начин да вярваме; надежда за здраве, любов и щастие.

В моето семейство 1 март и Баба Марта е един от любимите ни празници дори и зад граница. В градината ни в Нова Англия имаме ябълково дърво, където децата всяка година – на Благовец (или: Благовещение – 25 март), връзват мартениците си. В България хората извършват този ритуал, когато видят щъркел или цъфнало дърво – два предвестника за наближаващата пролет. Тъй като тук нямаме щъркели, Благовец е денят, в който връзваме мартениците на дървото и си пожелаваме нещо. Посадихме дървото, когато се преместихме в къщата. Днес, 20 години по-късно, дървото е покрито с червено и бяло. Това беше моето вдъхновение и за една моя картина, която нарекох „Мартеница“.

Носенето на мартеници е обичай, който се съхранява и се разпространява и зад граница. Милиони българи с гордост се окичват с мартеници през пролетта, за да приветстват новото събуждане на природата и живота.

През 2016 г., когато представих книгата си „Любов, светлина и ритуали“ в Чикаго, един от българите ми разказа история за дърво, окичено с мартеници, което се намира в зоологическата градина в Чикаго. Дървото се намира пред клетката на щъркелите и тук българите са си създали традиция всяка пролет да ходят и да връзват мартениците си на дървото. На връщане към Бостън се роди идеята за историята „Чудният Щърк“ – кратка детска приказка за вярата и силата в семейството.

Традицията днес е различна от тази, която е била в миналото. Много от моите приятели с различна вяра и националност също носят мартеница. Те възприеха тази традиция от мене и с нетърпение очакват първи март, за да получат нова мартеничка – символ за приятелство, любов и надежда.

Глава 5: Цветя и любов – да обичаш ближния и себе си

Смях изпълва къщата тази неделя. Това не е обикновен почивен ден, а празник на цветята – или както му казваме ние Цветница, една неделя преди Великден. Българите обичат както деня, така и неговите ритуали, които празнуват любовта, цветята и възраждането на природата. С Цветница пристига и китната пролет: след сивата зима всички жадуват за цветове и слънце.

Водопад от зеленина покрива плачещата върба в двора ни. По традиция плетем венци за вратите и иконите, както и колани от върбови клонки.

Усукваме ведно клонките като колан и обвивам тънките кръстчета на моите момичета – за да бъдат здрави, стройни и красиви. Дъщерите ми пораснаха и ритуалът загуби някои от детайлите си и вече е по-символичен. Сега събираме първите пролетни цветя и зелени върбови клонки, плета венци, които поставям около иконата на Дева Мария и на входната врата на къщата.

Лазаровден, денят преди Цветница, е още един от най-честваните празници. И също носи символизъм за здраве и дълголетие. Когато Лазар, приятелят на Исус Христос, умрял и бил погребан, Божият Син извикал пред гробницата: „Лазаре, излез" и човекът възкръснал от мъртвите. В България Лазаровден в миналото е бил ден за годявки – т. е. предложения за брак. Неомъжените момичета с нетърпение са чакали този така важен ден. Облечени в най-новите си дрехи, с грижливо сплетени коси, събирали цветя и виели пъстри венци, които по традиция носели на следващия ден, Цветница.

В миналото тези лазарки, както се нарича момичетата, са обикаляли из селото, пеейки песни за здраве и благополучие. Всички момичета са участвали в обичая, защото се е смятало, че момиче, което не е било лазарка, няма да може да се омъжи. Момичетата са влизали във всяка къща – защото ако пропуснат, семейството в този дом ще живее със страх от лоша поличба: че може да ги сполети нещастие. В замяна на посещението и песните лазарките получават дарове от стопаните.

Баба ми приготвяше кошница с ябълки, сушени сливи, орехи, яйца; както и лук и чесън, сплетени на плитка. Тук нямаме лазарки, но на масата на Лазаровден винаги поднасяме мед, обредна питка и всички неща, които баба ми някога раздаваше на лазарките.

Когато бях малка и гостувах на баба, си спомням циганския катун, който идваше в селото по Лазаровден. Това бяха няколко цигански семейства, които пътуват заедно от град на град. Разполагаха се в покрайнините на селото и опъваха шатри. Разпознавах ги по писаните каруци, магаретата, украсени с пискюли по главата и дрънкането на медните съдове, които пренасяха. Ходеха от къща на къща, за да събират стари медни котли, тенджери, тигани и съдове за готвене, за да ги калайдисват. Използваха калай, за да покрият ръждата и да направят вътрешността на събраните съдове като нови; покритието ги правеше безопасни за употреба в бита. Младите цигани танцуваха, възрастните гледаха на ръка или на карти или „хвърляха" бял и черен боб. В замяна хората им даваха продукти, предмети от бита, дрехи, черги и платове. Ако някой беше по-заможен, можеше да им даде цяла кокошка!

Катунът оставаше няколко дни, преди да тръгне към друго село. Имаше години, когато след като катуна си тръгне, някой от селяните се оплакваше, че му изчезнали кокошки или патици, но обикновено укоряваха лисиците или обясняваха, че ястреб ги е отнесъл. Селяните искаха да са сигурни, че циганите ще се върнат и на следващата година – защото бяха се превърнали в част от бита на местните; традиция, която всички очакваха с нетърпение всяка пролет. Една-две откраднати кокошки не можеха да нарушат това събитие.

Някога селото бе пълно с мир и спокойствие; жителите си отдаваха почит. В наши дни селото е изгубило духа си. Хората, които сега се броят на пръсти, са станали затворени, забравили потекло и вяра, жертви са на издевателства за имоти и пари, подпалват къщите на съседите или се нападат със ловджийски пушки, секири и лопати, воюват за собственост. Не знам, не разбирам защо е тази алчност, както казваше баба: ковчегът джобове няма, отнасяш в отвъдното само това, което си запазил в душата си, и оставяш след себе си единствено името си.

Тук, зад граница, аз и моето семейство празнуваме и Лазаровден, и Цветница наведнъж – на Цветница, защото всички сме заети в събота: тренировки, седмично пазаруване на хранителни стоки, развозвам децата да помагат в местни приюти за бездомни животни. Събота е, но нямаме време да се съберем около масата. Вместо това се храним в движение, аз пия черното си кафе или студения зелен чай и хапвам кифличка или нещо малко, за да залъжа глада. Повечето пъти се прибираме много след като слънцето е залязло.

Друга традиция, която обичам и ние българите почитаме, е името на човек – честването на именните дни. За някои хора този празник е дори по-важен от рождения им ден. На Цветница празнуват хората с имена на цветя. Обичам да казвам, че това е празник на всички жени, защото за мене жените са цветя.

И ние си имахме едно специално цвете в нашия род: моята баба Цветана (или Ценка за по-кратко), майката на моята майка. Когато бях с нея на Цветница, тя печеше вкусен хляб, който наричаше параклис, и слагаше на масата всички дарове от техния труд и от земята, която обработваха. Параклисът представлява усукан хляб, сгънат на две, а двата му края се преплитат. Баба го украсяваше с кръст от тесто, където се забиваше свещта, когато се кадеше за здраве с обредния хляб и с тамян. Заедно с дядо Никола те живееха обикновен селски живот. Произвеждаха по-голямата част от храната си, не пътуваха много, но имаха свой свят и това беше достатъчно, за да бъдат удовлетворени. Отгледаха децата си, имаха покрив над главата си; никога не крадяха и не просеха подаяния. Бяха изградили живота си с усилия и труд и се гордееха с постигнатото.

Баба беше балканджийка, загубила майка си като дете. Била е едва на 16 години, когато прадядо Тодор я е сгодил и дал за невеста на дядо – брак, уреден между двете семейства. Когато поотраснах, я попитах дали обича дядо ми. Отговори ми, че хората се научават да обичат и любовта идва с времето.

Наблюдавах ги двамата с дядо, но не можех да кажа дали това е любов, която споделят, или просто споразумение за съвместно съжителство. Отглеждаха деца и внуци, грижеха се един за друг и се уважаваха, говореха си мили думи един към друг. От време на време се чуваше сърдит говор и подвикване, но бурята отминаваше след кратко, както казваме ние: няма комин без пушек.

Не можах да прекарам време с тях в последния им час, защото бях в чужбина, но мисля за тях всеки ден. Посвещавам всяка Цветница на баба: от нея се научих да уважавам хляба и хората, както и да ценя малките неща в живота. Когато бях тъжна или замислена, тя ми разказваше някоя случка или ми пееше. Помагаше ми да облекча болката си, когато бях болна или тъжах за родителите си, които работеха в града. Баба обичаше да пее. Дядо и аз излизахме вечер с нея в двора и пеехме под звездното небе, докато очите ми не се затваряха за сън, а звездите не се превръщаха в светулки.

По времето на онази Цветница, докато подреждах масата за празничния обяд, погледнах към дъщерите ми, седнали една до друга, шепнещи си тайни. Моите красиви цветя! Като всяка майка и аз искам момичетата ми да са щастливи. Дали допуснах грешки, докато ги отглеждах? Споделих ли уроците, които научих в живота, както баба и майка ми правеха с мене? Ще намерят ли любов и това, което искат да имат в живота?

За момент се връщам към моето минало: какво момиче бях – доверчиво, изпълнено с мечти, надежди и идеи за един по-добър свят. Срещнах момче, което обеща да ме обича и да се грижи за мен. В началото беше истински любовен романс – като по книгите. В повечето случаи със щастлив край, но при мене не се получи. Ревността го застигна и той се промени; промени и нашата любов. Без да искам се връщам в миналото и умът ми се изпълва със спомени.

Усещам пареща болка и вкус на желязо в устата си. Сълзи изпълват очите ми и с треперещ глас едвам отговарям на неговото „Обичам те" с моето „И аз те обичам". Преглъщам и усещам как мощните му ръце стискат шията ми, ударът на юмрука му се впива в парещата ми буза. Това любов ли е? Да нараняваш някого и след това да го молиш за прошка и за любовта му/й. Искам да избягам, но по-силният винаги печели, и аз отново оставам затворена във въображаемата клетка, тъй изкусно изплетена от неговите извинения и обещания. Не винаги е такъв. Много пъти правим планове за бъдещето, изграждаме кули от мечти, държим се под ръка и се радваме на малките неща. Изведнъж лошият човек отново се връща, ревнив и тираничен, жаден за мъст и кръв. Обещавам си, че това ще е за последен път. Неговите сълзи и подаръците му няма да ме отклонят от пътя ми към свободата. Обещавам да обичам себе си и да изляза от клетката, изтъкана от празните му обещания и обиди.

Болка като горящи въглени ме прерязва през корема при мисълта да си тръгна. Обичам го, но това е правилната стъпка, първата стъпка за мене самата. Нито неговите враждебни, заплашителни, арогантни телефонни обаждания, нито обещанията му за промяна ще ме спрат да не го напусна. Вратата зад мене е затворена; страхът остава заключен – завинаги. Обещания, изговорени и нарушени хиляди пъти, целувки, изпепелени от обиди, страх от поредния срам: всичко изчезва.

Чувствам се странно, като роб, на когото е дадена свободата. Любовта ми беше отровена. „Мразя те, но ще ти простя! Ще ти простя, но никога няма да забравя!“

„Мамо... мамо, виж моя венец!" Сияещото лице на дъщеря ми ме връща в настоящето, в моя свят, място на уважение и истинска любов. Подреждаме масата и украсяваме обредния хляб с цветя.

Когато сте наранен и измамен, е трудно да позволите на друг човек отново да докосне дълбоко и съкровено сърцето ви. Не вярвате на сълзи или красиви думи.

Съдбата обаче често ни изпраща подаръци, награждава ни за нашите страдания. И аз получих подобен подарък, дар от любов. Срещнах мъж, който искрено ме обича. Той не покрива лошото с рози и напудрени думи, защото няма какво да крие. Той е човек, който обича да дава, уважава моето мнение; цени и другите освен себе си. И двамата носехме белези върху сърцето си, когато се срещнахме. Изгаряхме от любов, но се уплашихме да се доверим един на друг. Отне ни време, за да си спечелим доверието и да изтрием болката. Трябваше ни време да изградим мост помежду ни. Когато най-накрая аз го направих, успях да построя замъците от мечтите си; понякога вървях върху тръни, но успях да построя любящ дом.

Всеки получава не един урок в живота. Учим се, когато сме млади; учим се, дори когато си мислим, че знаем всичко. Най-важно е да се научим да уважаваме и обичаме себе си. Всеки от нас е уникален и красив по свой начин и заслужава да бъде обичан.

Момичета, погледнете се в огледалото. Вижте красивите си очи, изпълнени с копнеж за цветя от човека, когото обичате. Погледнете бузите си, които някой обича да милва, а устните ви жадуват да се целуват. Погледнете стройните си рамене и ръцете си, които галят, помагат на болните, строят болници и театри, талантливи ръце, които рисуват света. Всеки от нас е вселена, изпълнена с любов, мечти, желания, въздишки и горчивина.

Животът е, за да го живеем, и ако намерим някого, който иска да сподели с нас тези мечти, болки, гняв и мъчения, без да иска нищо в замяна, освен да ни обича такива, каквито сме, тогава сме намерили любовта. И любовта, и обичта са присъщи на хората.

Всяка Цветница се опитвах да обясня на децата си какво е Денят на цветята и защо празнуваме този обичай. Опитвам се да запазя традициите, предавани от поколение на поколение. Трудно им е да разберат, тъй като момичетата ми не само живеят и са отгледани в друга среда и култура, но и са имали ограничена възможност да бъдат с бабите и дядовците си. Опитвам се да ги запозная с българските традиции, но също така им давам възможност да бъдат част от новата култура, в която живеят, да уважават мирогледа и различията на хората.

Помислете какво представлява един ден тук, в Америка, или където и да сте по света. Срещаме различни хора в магазина или на пазара, в метрото, във фитнес центъра, на плажа, в работата, в библиотеката и на много други места. Поне неколцина ще са от различен произход, а всеки от тях има собствено разбиране, вярвания, обичаи и ритуали. Човек е уникален; не го съдете по външния му вид, дайте му възможност да го опознаете – и тогава го съдете, ако е необходимо.

Когато сме отворени към многообразието, виждаме хората от различен ъгъл и ги приемаме като равни на нас. Всеки път, когато някой в Америка ме попита от къде съм, отговарям, но и аз им задавам същия въпрос обратно, защото всички са дошли от „другаде“ през последните 20, 50 или 100 години. Пътешественици, скитащи в търсене на себе си.

Запалвам свещта върху обредния хляб. Правя кръст над хляба и сядам на масата с момичетата си, моите „цветя“, и моя другар в живота, любимия ми съпруг. Брат ми, семейството му и майка ми не са на масата с нас, но са в сърцето ни.

Наливаме чаши с пенливо червено вино и ги надигаме в български стил: „Наздраве за всички цветя! Желаем им любов и уважение!“

Глава 6: Прости ми

„Слабият никога не може да прости.
Прошката е черта на силните".
Ганди

Животът е като пътуване с лодка по непозната река. Във всяка фаза от нашия живот ние се издигаме и падаме заедно с течението. Докато се движим, някои части от нашето пътуване може да са мрачни и забулени в мъгла, време, в което взимането на решения е трудно. Понякога може да сме заседнали в плитчините на живота, не желаем или не можем да се придвижим напред, или пък се движим всяка минута от всеки ден. Животът е динамичен.

На всяка стъпка от това пътуване с нас се случва нещо ново. Откриваме неща, които обичаме; откриваме неща, които ни правят щастливи или нещастни.

Срещаме нови хора. Когато се раждаме, ние се срещаме и опознаваме родителите си. Докато растем, срещаме деца в училище, на улицата, в университета. Срещаме нови хора на работното ни място или социални събития. Някои стават наши приятели, други остават само познати, трети преминават през живота ни без да оставят следа.

Много често близки, приятели или дори членовете на семейството ни ни нараняват. Някои го правят нарочно; други са глупави или просто правят неволна грешка. Когато сте в чужбина, далеч от родината, родителите и близките, ваше семейство и вашите приятели стават хората около вас.

Откакто пристигнахме в Щатите, създадохме и изгубихме приятелства. Претърпяхме стотици разочарования от много хора. Но намерихме и нови приятели, с които споделяме чествания, празници; танцуваме хоро, празнуваме Коледа и много други лични моменти. Това са хора, които са ни помагали в трудни моменти. Замислям се: някои от тях са в живота ни повече от двадесет години. Били сме заедно в трудности, неволи, веселия и радости. Отгледахме децата си заедно, построихме живота си заедно и преминавахме през трудностите на имигрантския живот заедно. Може би защото сме шепа хора, далеч от роднини и

„стари" приятели, тук се стремим да се подкрепяме и да живеем в хармония.

Според православната традиция всяка пролет преди Великден искаме от роднините си прошка. Обаждаме се и на нашите родители и други роднини в България и искаме тяхната прошка. Дори да не сме ги наранили или обидили, ние използваме празника като начин да се освободим от негативната енергия в живота си.

Прошка! Какво е прошката? Безсмислени думи ли са? Достатъчно ли е да кажем или напишем извинение като съобщение по мобилния телефон или в социалните мрежи? Или да кажем тези така „тежки думи" по телефона?

Когато хората ни наранят, се чувстваме ядосани; мразим ги за това, което са ни сторили. Да простиш на някого не е просто действие или изговаряне на думите „прощавам ти". Трябва да промениш сърцето си към някого – да преодолееш чувствата си. Човек трябва да е силен, за да прости. Лесно е да се каже, но е необходимо време, за да се усети. Невъзможността да простим е като тежка верига, която се влачи след нас; белег, който се вижда всеки ден, защото ни напомняй за злотворството, сторено ни от някого.

Важно е да разграничим прошката от повторното „гласуване на доверие" към някого. Можете ли да простите на човек, когато ви наранява няколко пъти? Ако го направите, означава ли, че одобрявате неговите действия? Позволявате ли на този човек да ви нарани отново? Според мен хората не се променят, а стават по-себични.

Можете да простите на човек, но не трябва да забравяте. Не възлагайте с лека ръка правото отново да ви наранят.

Прошката е важна част от нашия живот. Не е чудно, че българите, подобно на други православни народи, имат празник, наречен Прошка. В църковния календар той се празнува преди да започне Великденският пост. Идеята е да се очисти не само тялото, но и душата.

Въпреки че църковните и други ритуали бяха строго забранени през комунистическата епоха в България, бабите ми строго ги почитаха и ни учеха нас, децата, да ги спазваме. Преди вечеря трябваше да им целунем ръка и да поискаме прошка от тях и от нашите родители. Това не бяха само думи; беше сериозен въпрос. Видях уважението и достойнството на лицето им, докато отдавахме уважението си.

След това за братовчедите ми и за мен денят беше истински празник. Баба изпичаше превкусен кръгъл хляб, сваряваше пресни яйца, печеше баница с домашно сирене и поднасяше бяла халва. Когато нямаше бяла, използваше тахан халва, но и двете се топяха в устата. Всички чакахме вечерята да приключи, за да започне "хамкането".

Баба връзваше червен конец на края на точилката за тесто. На другия край на конеца прикрепяше парче халва, сирене или твърдо сварено яйце. Ние, децата, стояхме в кръг на пода или около масата с ръце зад гърба. С нетърпение очаквахме баба да разклати конеца и да накара халвата да затанцува в кръг. Подобно на децата в Америка, играещи игра с вързана на конец поничка или ябълка, всеки от нас се мъчеше да захапе от халвата и да я задържи в устата си. Брат ми и братовчедите ми винаги печелеха.

Друго събитие, което се случваше същата вечер, беше, че ловците от селото излизаха в дворовете си и изстрелваха по някой и друг куршум към небето. Нямахме фойерверки, така че те по този начин обявяваха началото на Великденския пост.

Баба винаги спазваше постите. Аз обичам да си похапвам сиренце и баница и затова никога не успях да довърша и един църковен пост. Когато поотраснах, тръгнах на училище и останах при родителите ми в София. Майка ми не практикуваше тези традиции. Години по-късно учих в различни оздравителни училища – поради здравословни проблеми, където подобни фолклорни и църковни ритуали бяха забранени. Всяка година през пролетта, точно преди Великден, усещах, че нещо липсва в живота ми. Копнеех за традицията, която сплотяваше нашето семейство и бе толкова забавна. Това беше напомняне да уважаваме не само бабите, дядовците и родителите ми, но и всички, които срещахме в живота си. За съжаление, никога не съм практикувала този ритуал в дома си и никога не съм го споделяла с децата си.

Най-важната част от празника Прошка са огънят и хорото. В миналото, когато в селото имаше много хора и животът кипеше, момчета и ергени от селото събираха клони за огньове, наречени сирници, и ги подреждаха на големи купчини като клади. Ритуалът се извършваше по високите могили около селото. Запалваха кладите в неделя вечерта. Хората вярваха, че където светлината от пламъците докосне небето около селото, там няма да има градушка. В селото на баба момчетата правеха огъня на голяма поляна. Сигурна съм, че в миналото тези традиции са се спазвали по-стриктно.

След като огънят изгори до жарава, смелите момчета го прескачаха за здраве. С поглед, отправен към светлината от тлеещите въглени, и слушайки бавната музика на тъпана, все си мечтаех да танцувам върху жаравата. Баба ми ми стискаше ръката и не ме пускаше дори да го приближа: "Не мърдай. Ти не си нестинарка. Майка ти ще ме убие, ако се изгориш".

По-късно вечерта фолклорни танци се виеха на площада на селото. Всички – подскачащи и енергични – танцуваха тези бързи хора, с пожелание да растат житата, дърветата, лозята и децата буйни и високи. Подобно на повечето ритуали по селата, това беше „негласна" молитва за плодородие и обилна реколта. Дори бабите подскачаха с изненадваща жизненост и енергия на хорото.

След този празник хората не можеха да празнуват нито да танцуват до Великден; настъпваше време на строг пост, дори беше забранено се вдигат сватби. Това беше символ за период на тишина, покой и умиране – до възкресението, което се случва на Великден.

На Прошка дядо ми и брат му Иван си прощаваха по свой начин. Нареждаха, че си прощават с думи, прегръдка и ръкостискане, и спокойствието между тях продължаваше около месец. След Великден примирието вече отдавна бе забравено и отново се почваше кавгата за имотите и прословутото царевично поле, което беше до къщата на дядо ми Коце. Нито един от тях не можеше или не искаше да намери къде е междата, разделяща имота. Имаше няколко камъка, които те поместваха всеки ден. Чувах ги да се карат, а понякога и се сбиваха.

Цялото семейство на дядо ми, бащата на майка, живееше в махала Брусника. Проблемът между двамата братя беше създаден от техния пра-прадядо Коце. Носеха се слухове, че той е намерил гърне със злато и го е дал на един от синовете си, а младежът го скрил под старото орехово дърво в двора си. Други хора казаха, че е закопал златните жълтици под огнището.

Историята разпалваше въображението ни, а братовчедите ми и аз си играехме на иманяри. Направихме си карта и търсехме златното съкровище. Вечер гледахме дали синият пламък ще пламне под старото орехово дърво. Хората вярваха, че това е знак, че съкровището е заровено именно там. Единствената светлина обаче идваше от пребогатото ни въображение и рояка светулки в тъмнината.

Преди няколко години, когато посетих България, вуйчо Митко ми даде стара златна монета, която се предава от поколение на поколение. Може би е от златото на основателя на нашия род. За мен това е реликва и връзка с миналото и предшествениците ни. Ще я пазя и ще я предам на моите внуци.

Независимо дали е вярно или не това, което се разказва за съкровището, което е намерил, нашият родоначалник е успял да създаде дом за децата си. Около първоначалната къща синовете му и техните синове построили своите къщи, конюшни, градини и лозя и са съградили живота си.

Старите хора казват: всеки човек трябва да засади дърво, да построи къща и да отгледа син. Позволете ми малко да променя тази поговорка: засадете дърво, постройте къща и оставете следа след себе си: това може да е дете, книга, чешма, откритие или наследство, нещо важно, което да бъде следа от вас.

Прапрадядо Коце беше избрал добро място за своя дом и семейството си. Скътано в китния Балкан, където минава старият турски път към София. Прекрасно място с буйни поляни, пълни реки, овощни градини и лозя, съвсем близо до два извора.

Водата от планината беше сладка, особено когато баба ми я наливаше в красивата, цветна глинена стомна. Имах си и аз малка стомничка и с радост помагах, когато ходехме да почерпим прясна вода за пиене и готвене. Следвах я и задавах хиляди въпроси, на които тя винаги имаше отговор.

Мястото, където живееха, бе китно и красиво. Все още е красиво, но къщите на братята са обрасли с бръшлян и магарешки бодил, а старата лоза е увита около полуразрушената прогнила дървена ограда. Кладенецът не се вижда – скрит зад храстите; не можете да стигнете до къщата, дори и с поглед. Нивите са обрасли, а междите са изтрити от времето и дъждовете.

Децата и внуците на дядо Иван, брата на дядо ми, са се разпръснали по света: едни са в Нова Зеландия, други – в Гърция. От моето семейство аз живея в Щатите, а брат ми е в България. Той обаче няма време да оре и сади ниви и лозя в тези модерни времена.

Животът се случва в града, в който родителите ми са живеели и работили през целия си живот. Там има поминък, работа, пари; икономиката е добра и затова селата стават запустяват и се обезлюдяват; всичко бавно умират. Младите напускат, а старите поемат вечния си път. Живецът изтича от жилите на селата из България и те изсъхват като старата круша в двора на баба.

Простете ми, бабо и дядо!

Глава 7: Шарени яйца и сладки спомени

Нежната ласка на яркозелените клони на плачещата върба ме успокоява и ме кара да се чувствам сигурна. Тоби, нашето кученце, ходи след мене по тревата, спира се да подуши всяка тревичка и търпеливо чака моето внимание. За съжаление, днес съм твърде заета, за да си играя с него. Избирам няколко върбови клонки и събирам още няколко интересни листа от земята. Българският Великден е тази неделя и искам да използвам традиционни методи за боядисване и да създам шарки върху яйцата. Всички българи тук искат да пресъздадат наситените цветове на яйцата, които сме правили в България преди толкова години: червено, зелено, жълто и синьо.

Със зеленината в ръце се връщам в къщата. Пакетчета с различни бои за яйцата са пръснати по масата. Освен това имам комплект хранителна боя, за да си гарантирам, че червените яйца ще станат най-червените в целия квартал! Без значение какво съм опитвала в миналото, досега винаги са били в цвят „премито розово". Тази година всички материали са от гръцкия магазин, който се казва „София"; собственичката ме увери, че купувам „алено червено ".

Топлината в кухнята и ароматът на карамелизирана захар и ванилия ме карат да поседна и да се наслаждавам на чашка черно кафе. Защо не? Имам време да приготвя всичко, така че не бива да изпадам в стрес. Поръчах агнешкото от месаря в гръцкия квартал и купих пресни яйца и най-бялото брашно за козунака, който меся всяка година.

Приготвям орехите и стафидите. Пресявам брашното три пъти, за да добавя въздух. Няколкото следващи чаши кафе и подробната проверка на страницата ми във Facebook са оправданието да чакам тестото да втаса пет пъти, докато седи в топлата стая. За съжаление, винаги нещо му липсва и козунакът не е това, което очаквам. Този път е твърд и ронлив. Жената, която ми продаде червената боя за яйца, ми продаде и пакетче мая, която, по нейни думи, върши чудеса и ще накара козунака да се вдигне и после да стане на конци.

Не всеки може да прави козунак. Когато бях дете, баба ми се събираше с няколко съседки и правеха козунаци по цял ден. Поддържаше стаята топла; дори не позволяваше на нас, малките, да влизаме там. Беше като светилище за един ден. Казваше, че козунакът е като новородено бебе и се нуждае от специална топлина и грижи. Не знам каква беше нейната тайна, но до ден-днешен си спомням аромата и вкуса на препечената леко карамелизирана коричка. Когато си отчупиш парче, то се делеше на конци като захарен памук. Резен пресен козунак и чаша мляко с гъст каймак – предостатъчна гощавка за нас, децата. След това хуквахме по улиците цял следобед.

Великденските празници в България започват с Лазаровден и Цветница и завършват с Великден. Това са най-красивите пролетни празници, когато природата се събужда и всичко се връща към живот. Хората отварят прозорци, почистват дома си и ходят на църква в неделя. Когато бях ученичка, ни беше забранено да ходим на църква. По времето на комунизма ни казваха, че трябва да забравим религията и традициите, за да не подкопаваме авторитета на партията. Въпреки това ние се криехме и тайно ходехме да Великденската служба, дори под страх, че ще ни изгонят от училище. Светът е малък, както обичаме да казваме, и една година застанах рамо до рамо в църквата с моята учителка по френски. Носеше запалена свещ в ръка. Погледна ме, поздрави ме с поглед и ме подмина тихомълком. Направих същото. И двете знаехме, че трябва да пазим тази тайна.

В София мерките бяха доста строги, но по селата и в малките градчета хората можеха да празнуват и да посещават църквата по-свободно. В годините, когато учех в Сандански, една от моите приятелки ме покани на гости в дома си в едно от съседните села, за да не бъда сама в оздравителното училище. Колата бавно навлезе в главната улица на селото и разкри редица китни бели къщи; цветни килими и шарени черги висяха по чардаците, подредените дворове бяха изпълнени с цветя и зеленина. Църквата се намираше близо до входа на селото – на невисок хълм, с гледка към близката река Струма. След литургията млади и стари излязоха от църковната сграда и вместо да започнат да се чукат с писаните Великденски яйца, започнаха да ги хвърлят над църковния покрив. След това излязоха извън църковния двор, подредиха храна върху маси за пикник и веселбата започна. Хората от Южна България са топли и гостоприемни и аз винаги се чувствах като у дома си през ученическите си години. Това облекчи носталгията и мъката ми по дома, родителите ми и брат ми.

България е малка страна, но всеки регион, село и град има свои ритуали и вярвания. Интересно ми беше да наблюдавам традициите, като посещавах семейства и места, които бяха нови за мен. Мисля, че всички трябва да бъдем отворени за нов опит и да уважаваме вярванията на другите. Всеки ритуал или обичай си има причина защо се изпълнява. Неслучайно традицията на Великден е създадена около яйцата, една от най-разпространените храни на този празник, както за българите, така и за други нации. От древни времена яйцето е било символ на раждане, възкресение и вечен живот – живот и смърт – с вяра, че светът е роден от златното яйце, тоест слънцето. Частите на яйцето представляват четирите природни сили: черупката е символ на земята; ципата е въздухът, белтъкът е водата, а жълтъкът е слънцето (и следователно огъня).

Времето на празнуване на религиозните практики тайно в крайна сметка отмина и след смяната на правителството през ноември 1989 г. демокрацията върна свободата всеки да практикува своята религия. Великден и всички други празници са важни за българите не само днес, но много повече в миналото.

Баба ми използваше естествени бои за боядисване на яйцата: цвекло за червено, обелките на лук за оранжево, семена на копъра за златно. С тези естествени бои тя боядисваше и вълна и памук. Учеше ни, че трябва да боядисваме яйцата преди залез слънце в четвъртък. Ако не успеем на този ден, трябва да го направим в събота сутрин – но без да казваме на никого. Причината за това е да си гарантираме, че дяволът няма да ни свари да боядисваме яйца в петък или събота. Ако ни хване, ще унищожи лечебните и защитни сили на тези специални яйца.

По принцип все още боядисвам яйцата в четвъртък и винаги правя червено яйце, специално заделено за Бога. По традиция това е първото червено яйце – и то носи лечебна магическа сила; сутринта на Великден взимам яйцето и потърквам бузите на децата си за здраве и правя кръст на челото им. Пазим грижливо това червено яйце цяла година. Понякога нашето коте забравя, че яйцето е свято и бързо-бързо го чупи. Ако котето не успее го счупи, ние не изхвърляме яйцето от предходната година, а го заравяме в градината – за плодородие и благоденствие.

Кулминацията на Великденските празници бе в неделя. Отивахме на църква, а на връщане посещавахме гробовете на най-близките си роднини, за да им поднесем храна, яйца и вино. Вкъщи се събирахме около масата, хапвахме агнешко, специално приготвено за този ден, и, разбира се, се чукахме с яйца. Последното дете, чието яйцето се окаже бияч – т. е. надвие на всички, бе героят на деня. Тези традиции са запазени и тук, в Нова Англия.

Българската църква провежда нощно бдение; в полунощ излизаме от църквата и със запалени свещи следваме свещеника и обикаляме около сградата. Това е зрелищен, зареждащ ритуал. След службата всеки може да отнесе горящата свещ у дома, така че това да им донесе здраве и благополучие. Свещите си ги пазим, за да можем да ги запалим на други празници и рождени дни – за здраве. Ако няма българска църква, сръбските, руските и гръцките православни храмове винаги държат вратите си отворени за нови поклонници. Бог е един, важно е да бъдеш в храма му и да го почиташ.

Който не може да отиде на вечерната служба, може да присъства на такава в неделя. Сръбската църква предлага и празничен обяд след богослужението. Поредният повод хората да се събират около масата и да празнуват живота и приятелството. Разговорите са на български, английски или сръбски, но всички се разбираме. Храната и виното обединяват хората, независимо от тяхната националност или език.

Великденската трапеза е специална. След като сме приключили с постите, ни е позволено да консумираме месо. Това е единственият ден в годината, когато приготвям агнешко – това месо не е на голяма почит в моето семейство. Яденето на зелена салата с репички и нарязани варени яйца е задължителна част от празника. Тъй като нямаме роднини тук, обикновено се срещаме с приятели и ходим на пикник или просто празнуваме у дома. Масата е подредена, козунаците – опечени, салатите са готови да започнем празничния обяд. Чукаме се с яйца за здраве (и малки, и големи тръпнат в очакване точно тяхното яйце да се окаже бияч) и разменяме традиционните реплики „Христос воскресе“, „Во истина воскресе“ около масата.

Чрез социалните медии сме свързани с приятели и семейство, разменяме си пожелания и снимки с козунаци и кошнички с писани яйца – с лекота се заформя богата роднинска „Великденска галерия“.

Ако времето през април е студено, ние поставяме масата вътре; но когато няма сняг на земята, скриваме великденски яйца, шоколадови яйца и други изненади в двора около къщата. Когато децата ми и техните приятели бяха малки, обикаляха двора с кошници и ги събираха. Ако православният Великден се падне в различен ден от католическия – както е повечето пъти, празнуваме два пъти, така че великденският заек няколко пъти ни носи подаръци.

На Великден кадя с тамян, за да изгоня злите сили извън дома. Децата ми винаги казват, че къщата мирише на църква. Не съм сигурна дали наистина има зли духове, но все пак обичам да отварям прозорците, за да ги прогоня. Тамянът прави къщата да мирише на свято и чисто. Имам усещането, че домът ми е пречистен, а мрачните зимни дни са зад гърба ми.

Всички наши Великденски празници са изпълнени с вълнения и надежда. Природата се събужда и всички с нетърпение очакват идващото лято и дългите слънчеви дни. Хората жадуват за светлина, радост и любов.

Глава 8: Именни дни – време за почивка и веселие

Имената са важна част от живота на човек – определят съдбата му и как ще бъде приет в обществото. В България има вярване, че всеки човек идва на този свят с мисия и с името си.

Всеки народ дава име на децата въз основа на своите вярвания. Сред българите най-популярната традиция е да се кръщава на името на дядо/баба или прадядо/прабаба. Съживяването или повтарянето на името на предците е начин да покажем почит към този, чието име носи човек – акт, че разчитаме на мъдростта и помощта им за благополучие в дома на „наследника" на името. Дори именуването на детето с име, което само започва със същата първа буква, е знак за уважение.

Най-разпространена е традицията хората, на които трябва да кръщават новите членове на рода, са дядото или бабата по бащина линия, дядото или бабата по майчина линия, а чак след това идва редът на чичовци и лели или вуйчовци и вуйни. Обикновено ако новороденото е момче, то се кръщава на единия дядо, а ако е момиче, взима името на едната баба.

Днес някои хора кръщават детето на човека, който ще се грижи за него. Много баби летят от България в чужбина, за да се грижат за внуците си и да помагат на младото семейство. В САЩ много неща са уредени, но социалните грижи са сфера, която определено има нужда от реформа. Цената на детските градини е недостъпна, далеч надхвърля възможностите на родителите, в повечето случаи младите хора имат огромни студентски заеми и ипотека за жилище и коли. Това, че бабите и дядовците се грижат за децата, не само спестява пари, но също така предоставя на младите родители възможност да споделят и научат българската култура от рода си.

Българите наричат децата си и на светиите, чиито празници обхващат църковния календар. Именните дни са традиция от незапомнени времена. В стари времена хората не са знаели кога са родени. Никой не е издавал свидетелство за раждане нито са съществували електронни база данни. Именуването на дете на светеца, в чийто ден то се е родило, им е помагало да си спомнят кога се е родило точно това отроче. Прост, но мъдър начин на живот!

Например, вуйчо ми е роден на 29 октомври, Димитровден. Всички са очаквали той да бъде наречен Димитър по каноничен църковен закон, тъй като е роден в деня на светеца, и така са го кръстили.

Друг пример е, че ако раждането на жената е трудно или майката умре по време на раждането, детето по традиция се кръщава на Богородица (Мария).

Наруших неволно тези традиции, когато първото ми дете се появи на този свят на Благовец, 25 март, свещен църковен празник. Преживях цял ден в болка и молитви. След като се събудих от операцията и ми подадоха да видя дъщеря си за първи път – прекрасно бебе с големи сини очи – реших да я кръстя на моя съпруг, мъжът, който споделя моята болка и радост и моите луди мечти дори и днес. Според вярванията детето не трябва да бъде кръстено на родителите, защото духовната връзка между тях намалява, а имената създават конфликти. Бях млада и влюбена и не познавах повериятa. Детето ни беше цветето на нашата любов и името си дойде съвсем естествено.

В съвременна България и чужбина обичаят да се наименува детето на дядо или баба вече не се спазва така строго. Имената се избират от родителите и при смесени бракове името в повечето случаи е неутрално и избрано с цел детето да се асимилира по-лесно в новата среда.

Много от именните дни се празнуват през зимата. В миналото, след прибирането на реколтата, хората са почивали през зимата, така че са имали повече време за празненства. Няколко празници и свързаните с тях честванията започват от ранна есен и продължават през следващите студени месеци.

Многобройните именни дни през това време, както в миналото, така и сега, помагат тъмните месеци да се изпълнят с веселие и светлина. Вратите на дома са отворени за приятели и роднини, а трапезите традиционно са покрити с червено вино, мезета и салати.

Винаги се радвам на Атанасовден (Ден на св. Атанасий), който се честа на 18 януари. Според фолклора светецът е защитник на зимните студове, снега и домашните животни. Хората, които празнуват този ден, са не само тези, кръстени на светеца, но и ковачи, железари и занаятчии, защото св. Атанасий е техен покровител.

На този ден жените омесват традиционни хлябове и ги поливат с мед. В някои райони в България в миналото младите са отивали на поляна извън селото, правели са люлки по клоните на дърветата и са се люлеели високо във въздуха.

След като издържах няколко месеца студ и тъмнина, съм готова за пролетта. След св. Атанасий, дните стават по-дълги и светлината ни храни с енергия. Все още е студено, но поговорката гласи „Атанас дойде – дойде лятото", така че знам, че по-топлото време е на път.

За съжаление, тази поговорка не е валидна за Нова Англия. Зимата тук обикновено започва по средата на януари и понякога преспите сняг са ни затрупали до края на април. Ето защо сезонът на пикниците, градинарството и носенето на бели обувки тук започва след Деня на възпоменанието, който се празнува в края на м. май.

В миналото денят на светеца – и това се отнася до всички светии, е бил повод да празнуваме с приятели и семейство. Семействата са оставяли вратите си отворени и всички знаят: на имен ден не се кани! Само по време на криза или война тези традиции се спазват по-рядко. Хората нямат хляб и вино, а вратите на дома им са затворени или поради липса на средства, или поради тъгата по баща, син или друг близък роднина, починал в битка.

Подаръците са били прости и практични, не такива, каквито са днес. Спомням си, че когато бях дете, отседнала в селото на баба ми, високо в планината, хората си подаряваха кърпи, тъкани домашни престилки и бели кенарени бродирани ризи. Кенарът е ръчно изработен плат, смес от памук и коприна, а ризите от този плат са красиви произведения на български жени. Престилките са като картини, всяка от които съдържа кодирано послание или притча, разказана с цветове и форми. Цяла зима жените втъкават легендите и приказките в платове и килими.

Всеки имен ден е специален, с уникални традиции, но най-любим сякаш ми е Никулден (Денят на Св. Николай), който се празнува на 6 декември. Може би заради скъпите спомени от детството ми. Никулден не е просто имен ден, а ден, в който празнуват рибари и банкери. Тъй като България има излаз на морето, риболовът е бил и все още е важен поминък за хората и индустрия за страната. По Черноморието ще намерите много църкви, наречени на Свети Николай.

Името на дядо ми беше Никола, затова празнувахме именния му ден. Баба, майката на моята майка, правеше хляб, наречен параклис, различен от кръглата питка. Докато печеше хляба – в специален глинен съд, покрит с въглища – и готвеше и шарана, традиционното ястие за този ден, тя ни разказваше легендата за Свети Никола. Всяка година ние, децата, я слушахме с внимание и широко зяпнали уста… точно като рибки.

Свети Никола и потъващият кораб

Освен че е наш покровител и закрилник на семейството, Свети Никола е бил и чудотворец. Една история разказва, че на път към Светите земи, за да посети гроба на Христос, Св. Никола е в морето, когато внезапно започва мощна и страховита буря. Мълния удря един от моряците, убивайки го на място.

Ужасени, всички на кораба тичат в паника, без да знаят какво да правят. Друг моряк извиква: „Бурята повреди кораба! Трябва да спрем водата да пълни кората или всички ще се удавим!"

Свети Никола се помолил: „Господи, спаси народа си. Покажи им твоята мощна сила".

Когато свършил да говори, огромен сребърен шаран скочил от морето в дупката и я запушил с тялото си и водата спряла да пълни кораба. И до днес хората твърдят, че шаранът е слуга на Свети Никола.

Светецът извършил и друго чудо: положил ръце на мъртвия моряк и отново издигнал глас към Бога. „Господи, върни слугата си на този свят, за да може той да продължи да храни семейството си".

Мъжът веднага се изправил, седнал и се огледал смаян. Бурята утихнала и хората почистили щетите. Ето защо почитаме Свети Никола като покровител на моряци и рибари.

Въпреки това, когато е ядосан, той също може да изпраща бури и урагани, за да накаже хората. Празникът в негова чест се провежда, за да го умилостивим. Хората му се молят да ни помогне и защити, а също да се помоли на Господ за нашето прощение.

Майка Николинка е кръстена на баща си, затова и тя празнува Деня на свети Никола. Когато празнувах с родителите си, най-голямата атракция беше да изберем шарана за нашета празнична трапеза. Отивахме в централния магазин за риба в София, срещу бившия заседателен дом на Комунистическата партия. Стоях пред големите витрини с нос, залепен за стъклото, за да видя рибата как плува. Бях дете и си представях, че рибите ми говорят, докато отварят и затварят уста.

След като баща ми избра нашия шаран, на връщане се спряхме в магазин, където той обикновено ми купуваше шоколад за награда. Беше зима и в близкия специализиран магазин екзотични плодове покриха цялата витрина. Навремето ги наричаха показни магазини и нищо чудно: те бяха като изложбена зала, само за гледане и недостъпни цени. Погледнах портокалите и бананите и устата ми се изпълни със слюнки. Преглътнах и не казах и дума на баща ми. Бях доволна, че имам шоколад, който мога да споделя с брат ми. Стиснах шоколадчето в джоба ми и тръгнах заедно с баща си към трамвайната спирка.

По-късно майка ми сготви шарана: напълни го с ориз, стафиди, орехи и смес от подправки. Тя също направи салати от кисели краставички и кисело зеле и традиционна руска салата. Шаранът беше центърът на внимание, а пикантните салатки бяха добро мезе за ракията. Най-важното беше, че около масата бяхме се събрали семейството и приятелите. Стаята се изпълни с бъбривост, песни и наздравици. Музиката идваше от грамофона или талантливият ми татко свиреше на акордеон. Всички пеехме градски песни, които поддържаха настроението на нашата весела компания, оставяйки ги да забравим болката, грижите и мизерията си.

Традицията умря, когато загубих баща си. Той почина внезапно – на именния си ден, така че днес именните дни винаги ми напомнят за тази загуба. Съхранявам традицията отново в Нова Англия, защото това е причина да се отпуснем, да се насладим на времето с приятели и семейството и да празнуваме живота.

Много от моите нови приятели, които не са българи, са изумени от празненствата на имен ден, когато споделям нашите традиции и причината да празнуваме. Много от тях споделят своите празници и взаимно научаваме неща един за друг. Каним приятели в къщата; готвим, ядем и пием.

Тъй като св. Николай е покровител на рибарите, мъжете разказват свои лични рибарски истории, състезавайки се в това кой е уловил най-голямата риба. Ние, останалите, слушаме техните колоритни истории и се преструваме, че им вярваме.

Всички с нетърпение очакваме традиционния пълнен шаран. Всеки взима рибена кост, за да я сложи в портмонето си – за късмет и богатство. В стари времена жените са вземали костта от главата на шарана, която прилича на кръст, и са я зашивали в шапката на новороденото, за да може Свети Никола да пази бебето живо и здраво.

На следващия ден внимателно сгъвам рибената си кост в салфетка и я слагам в чантата си – суеверието трябва да се спазва. На път за работа отивам до най-близката бензиностанция, за да си купя билет за лотария и да опитам късмета си. Кой знае? Може би днес ще ми се падне печелившият билет.

Глава 9: Бели рози

„Ако някога изпитвате затруднение през деня – призовете нашата Дева Мария – просто кажете тази проста молитва: „Марийо, Майко Исусова, моля те, бъди ми майка сега". Трябва да призная – тази молитва никога не ме е оставяла" – майка Тереза.

Великите мъже и жени са силата зад прогреса; те водят революции или социални реформи, откриват нови земи и пътуват в космоса. Някои планират да колонизират нови планети, други да построят училища в Африка или да спасят полярните мечки в арктическите райони на Северния полюс. Много други хора като нас тихо живеят живота си, отглеждайки децата си, и работят на същата работа повече от четиридесет години – с гордост от качествената работа. Тези хора не се виждат от света, но са част от успеха на нашето общество. И кой демонстрира това по-добре от майките?

Ние обичаме майките. Денят на майката е единственият най-натоварен ден за телефонни разговори всяка година, нямам данни, но сигурно и по продажба на цветя. Мама е нашият храм, първият човек, когото срещаме, когато пристигнем на този свят. Любовта й е безусловна през целия ни живот и тя е готова да даде живота си за своето дете.

Докато работех над тази глава, две масови престрелки се случиха една след друга. Едната – в Ел Пасо, щата Тексас, и една в Дейтън, щата Охайо. Защо изобщо споменавам тези ужасни събития? Докато гледах новините, там говореха за малко двумесечно бебе, чиято майка го е закриляла като жив щит и артилеристът е отнел нейния живот. Това прави една майка: защитава, обича и е готова да умре, за да спаси детето си.

Ако попитате децата ми за мен, сигурна съм, че ще кажат, че съм взискателна, строга, силна и очаквам невъзможното от тях. Докато растяха, ми беше трудно да им кажа „браво, добре свършена работа" за училищни оценки или спортни постижения. Само защото други майки казваха това на децата си, не значеше, че и аз трябва да го правя. Грешала ли съм или не, така съм възпитана аз и така възпитавах и аз. За мене да ги похваля означава, че те трябва да бъдат отличници, с шестици и добро поведение. Знам, че съм била много взискателна, и понякога очаквах твърде много от дъщерите си. Дори съм се наричала „драконова майка".

Мисля, че това е характерно за всички български майки, живеещи в чужбина, родени и израснали в България. Искаме да направим така, че децата ни да бъдат приети в престижни училища и утвърдени колежи. Ние им помагаме да направят това, което е необходимо, за да спечелят стипендия, да получат най-доброто образование, да изберат своята кариера, която да обичат, да учат чужди езици и като цяло да бъдат успешни в живота. Натискаме ги усилено да работят и учат, както и ние сме го правили на младини, за да сме сигурни, че те ще бъдат победители. Не съм сигурна дали това е грешно или правилно. Предполагам, че просто се дължи на нашето потекло.

Дори да сме планирали всичко и да се надяваме на успех, животът е едно непредсказуемо пътуване. Той ни поднася възходи и падения: печелим и губим. Но майките са като безопасно пристанище, светилище, към което можем да се стремим, за да получим подкрепа, прошка и смелост. Когато животът е бил труден или съм имала нужда от съвет, много пъти съм се обръщала към майка ми. Тя никога не попита подробности и не ме съдеше; тя просто ме подкрепяше.

Известната българска песен „Притури се планината" е за двама овчари, хванати в примката на идваща буря насред планината. В песента те молят планината да им помогне. Те искат да се върнат при хората, които ги чакат. Единият от тях иска да се върне при майка си, другият – при жена си, първата си и единствена любов. Планината отговаря, като им казва, че ще пусне само един от тях, този, чиято майка го чака. Майка, казва тя, чака и скърби цял живот, но жена ще тъжи известно време и след това ще си намери друга любов. Това е силна песен, показваща отново любовта на майката и как тя е изобразена в българския фолклор.

Притури се планината

Притури се планината,
Че затрупа два овчеря.
Че затрупа два овчеря,
Два овчеря – два други.
Първи моли, пусни мене.
Мене чака първо любе.

Втори моли, пусни мене.
Мене чака стара майка.
Проговаря планината:
Хей, ви вази два овчеря,
Любе жали ден до пладне,
Майка жали чак до гроба.

Майките са силни, те са циментът, който споява семействата. Много романи и истории в световната литература демонстрират силата на жените, особено на майките: „Дърво расте в Бруклин", „Малката къща", сериалът „Прерия" и „Малки жени". От българската литература: "Майчина сълза" от Ангел Каралийчев и образа на Султана от романите на Димитър Талев.

Да си жена и майка е още по-трудно, когато си имигрант. Тя трябва да работи, да се грижи за семейството и да преодолява препятствията, изникнали от новата култура. Една от ролите на майката е да запознае децата си със семейните традиции, родовите корени и да им помогне да възприемат новата си култура. Трудно е да се направи това в днешния високотехнологичен свят, където начинът на живот и комуникационните инструменти са различни от страната ви по произход.

В миналото четяхме вестници и печатни книги и ходехме в библиотеката. Днес нашите деца използват телефон и системи с виртуални помощници и задават или въвеждат информация в търсачки, за да намерят това, от което се нуждаят. Мнозина дори никога не са разговаряли с библиотекар нито са търсели информация чрез картографски каталог в библиотеката по начина, по който ние сме свикнали, когато работехме върху училищни проекти.

Въпреки че днес социалната динамика е различна, ние трябва да съхраним нашата култура и семейните си ритуали, като се уверим, че децата ни познават своето наследство. Знанието кой сте и откъде идвате Ви помага да изградите бъдещето си и Ви дава идентичност. Ето защо започнах да пиша разкази и книги, вдъхновени от българския фолклор и обичаи. Исках децата ми и другите хора да научат повече за България, за да могат да уважават моята култура. Мисля, че всички трябва да се уважаваме и да се учим от хората около нас и от новите познати, които срещаме всеки ден. Не съдете хората по външния им вид, акцента или цвета на кожата им. Отделете време, за да ги опознаете. Всеки човек има история, мечти и амбиции.

В семейството си почитам и практикувам големите български празници, но също така празнуваме и американските празници и приемаме и създаваме нови ритуали. Когато дойдохме тук през 1998 г., беше есен. Едва говорех и разбирах английски, но успях да открия, че наближава голям празник, наречен Хелоуин, и че трябва да купя бонбони и да облека децата в маскарадни костюми.

Купихме костюми и бонбони. Сложих си грим и се превърнах в Злата вещица от Оз. Дори съпругът ми не можа да ме познае; изкара си акъла, когато ме видя на вратата. Децата ми се присъединиха към една дузина дребосъци и обикаляхме от дом на дом, докато лампите не започваха да угасват – знак, че празникът е към своя край. Съседката Пеги също ни поднесе бонбони и успя да ме познае, след като се заговорих с нея – заради моя акцент. Беше изключително забавно изживяване за децата и за мен.

Все още празнуваме Хелоуин. Всяка година чакам с голяма купа, пълна с бонбони и шоколадчета, за да видя развълнуваните лица на дечицата, облечени като пеперуди, котки, дракони, чудовища и други приказни герои. Напоследък искат да отменят тези празненства в училищата, защото някои родители не ги одобряват, не било част от техните вярвания или били обидни. Не мисля, че е обидно. Мисля, че това е просто още една причина да отворите дома си за хората, да срещнете децата на Вашата улица и да бъдете социални. Мисля, че трябва да спазваме сегашните традиции и празници и да продължаваме да спазваме и тези от нашето наследство.

Същият спор в последните години се води и около коледното дърво. Някои не са щастливи, че се нарича Коледно, затова искат да го нарекат празнично! Празнично? Моля, оставете коледното дърво на мира. Това е специално дърво, което осветяваме всяка година, за да отпразнуваме раждането на Бога и началото на нов цикъл от живота. В Америка всички трябва да могат да празнуват своята религия и да спазват празниците си. Спазвайте своите вярвания, традиции и религия, но също така спазвайте и почитайте настоящите обичаи.

В България и Европа Денят на майката е на 8 март. Това е денят, в който всички показват уважение към майка си и казват „благодаря" за нейната упорита работа. Все още празнувам на 8 март, а също и на американския Ден на майката – през м. май. Никога не забравям да се обадя на мама. Празнуването през май помага на децата ми да се чувстват като своите съученици. Правят ми прекрасни картички и семейно излизаме на обяд.

В деня на майката получавам от съпруга си букет бели рози, любимите ми цветя. Бялата роза е цветето на Дева Мария, Божията майка, нашата Мистична небесна роза. За мен Денят на майката не е един ден в годината, когато получавам картички, целувки и цветя. Всеки ден, когато знаеш, че си отгледала добри деца, е Ден на майката. Всеки ден празнуваме любовта, болката, безсънните нощи, наздравиците.

Растем, намираме нови приятели; пътуваме от място на място и губим много от тях. С течение на времето става все по-трудно да се създават нови приятелства. Но и с времето ставаме по-мъдри и придобиваме способността да ценим и уважаваме хората около нас. Започваме да разбираме, че майка ни винаги е била и винаги ще бъде най-добрият ни приятел в живота. Нашите майки са нашите бели рози.

Глава 10: Безстрашна

Гърлото ми беше покрито с прах. Едва успявах да дишам в мрачната каросерия на камиона. Кашон след кашон се пързаляше от лентата и падаше върху ръцете ми. Стената от кафявите картонени кутии, която подреждах, ставаше все по-голяма и по-голяма. Някои бяха леки, а други се изплъзнаха от ръцете ми и се удариха в дървения под с трясък, разпилявайки дървени стърготини и парченца хартия. Опитах се да спра, за да си почина, но потокът от кашони се пръсна по линията като от гърлото на голям железен дракон. Извън камиона, в огромната сграда, безкрайните конвейерни линии се преплитаха като пипала и образуваха метална плетеница. Ако някой работник спре, картонените кутии не спират и започват да се мачкат и падат на пода, и те затрупват.

Изведнъж линията спря; случва се от време на време, когато кутиите заседнат в поточната линия. Това беше възможност да направя кратка почивка, да седна на пода, за да си опъна гърба, парещ от умора. За съжаление, нямах време за сядане, защото часовникът показваше няколко минути преди четири часа сутринта и смяната ми почти свършваше. Имах купчина кутии, които ме чакаха на пода около мен.

Висока мъжка фигура влезе в мрачното ремарке на камиона и се приближи до мен. Лицето му беше в сянка, но мисля че съм го виждала и преди. "Добро утро! Защо закъсняваме и защо има толкова много кутии и пакети на пода?"

Той завъртя малък пакет все още върху конвейера. Приближи се до мен и ритна стената с кутии, които бях подреждала с часове. Всичко се срути. Кутии с логото на Dell се разпръснаха около него. "Не са ли те научили как правилно да оформяш стена?"

Гневният му глас ме прониза. Бяха необходими огромни усилия, за да вдигна всички тези пакети отново и да „построя" стената, а сега те се търкаляха по пода.

С лошия си английски се опитах да му обясня. „Научиха ни, но тези кутии са с различна големина и са трудни за подреждане. В същото време потокът кашони не спира. Нямам време". Той изглежда не разбираше, че му казвам, че съм обучена как да подреждам кутиите, но различните размери и непрекъснатият поток от кутии ме затрудняваха да подреждам всичко според изискванията.

„Не ми обяснявай. Започни отначало. Камионът тръгва след 2 часа. Ако не успееш да го натовариш навреме, край – утре просто не идвай на работа".

„Но смяната ми е до 5 ч. Трябва да…"

„Не искам да слушам обяснения. Продължавай да зареждаш камиона и не се бави".

Изтрих потта от челото си, включих отново скенера и започнах да пренареждам стената с кутиите. Гърбът ми също вече беше мокър. Бях жадна и уморена, но спрях само за да пийна няколко глътки безалкохолно – вкусът на лимон ме освежи.

За щастие, пратката по тази линия беше малка тази нощ. Беше слаб сезон и успях да заредя камиона преди 5 ч. Когато приключих, хукнах към изхода на сградата, маркирах служебната си карта и свалих скенера от китката. Колата ми беше в края на паркинга и ми отне известно време да стигна до там. Накрая седнах вътре и чух рева на двигателя, докато завъртах ключа. Беше стара кола, но все пак надеждна.

Карах бързо, защото закъснявах с час, топлината от парното ме обгърна като одеяло, успокояващо, очите ми се затваряха от умора – на няколко пъти. Уплашена, че ще изляза от платното, отворих прозореца. Леденият ветрец ме освежи за миг, но отново почувствах умора, която ме нокаутира. Знаех, че е опасно да шофирам в това състояние, но нямах време да спра и да си почина. Ставаше късно и трябваше да се прибера.

Когато паркирах колата пред сградата на апартамента, всички прозорци бяха тъмни. Тихо отключих входната врата и с котешки стъпки стигнах до третия етаж. Отключих вратата и топлина се разля по лицето ми, носейки със себе си пикантната миризма на препечен хляб. На масата ме чакаше чиния с храна. Съпругът ми ме прегърна с чаша кафе в ръка. Не бях гладна, но черният аромат на кафето ухаеше съблазнително.

Децата все още спяха. Измих се и се преоблякох и започнах да правя закуска за децата, преди да ги събудя. Имаха 30 минути за ядене и приготвяне за училище и детска градина.

Техният смях и усмихнато лице ме караха да забравя болката в гърба, наранената си гордост, паренето в зачервените ми очи и ръцете ми, надраскани от безбройните колети.

Нямахме много пари, но играчките правеха моите малки дъщери безгрижни и щастливи. Първото нещо, което им купихме, когато пристигахме, беше голям кухненски комплект и къща за кукли – красива, на три етажа, с мебели и лампички. Понякога исках да живея там, спомняйки си дома ни в България. През повечето време работата и училището ме държаха твърде заета, за да тъжа, и успявах да притъпя чувството си на носталгия. Ума си ангажирах с учене.

Съпругът ми работеше дълги часове през деня, така че се виждахме само да се поздравим и сбогуваме и да предадем децата си един на друг. Срещахме се в кухнята, прегръщахме се и си пожелавахме приятен ден с целувка. Децата като котенца хукваха с кикот надолу по стълбите след него.

Тази сутрин беше същата като всяка друга през последните няколко месеца. След като мъжът ми тръгна за работа, аз изпратих децата до автобусната спирка; държах кутиите им за обяд в едната ръка, а чашата кафе – в другата. Седях на ъгъла на пейката и слушах как другите майки се наслаждават на компанията си. Поглеждаха ме, но никога не ми говореха. Бях непозната, чужденец, който не може да говори добре езика им. По-лесно ми беше да се усмихвам и да помахам с ръка.

Щом моите пиленца се качиха в автобуса, аз хукнах колкото се може по-бързо в апартамента. Грабнах купчината си учебници и се качих в колата. Трябваше да побързам. Първият ми час в близкия колеж започваше след 30 минути и имах тест.

Тест ... Имах тест! Бях в беда, но нямах време да мисля за това. Запалих колата и се отправих към колежа. Главата ми я усещах натежала от умора, а мислите ми се шляеха в мозъка ми.

За щастие тестът беше лесен и за моя изненада получих добра оценка. Следващите часове след това бяха кошмар: главата ми продължаваше да клюма, а клепачите ми се затваряха от умора. Гледах часовника, чаках да дойде обяд. Накрая последният час почти приключваше. Отне ми много усилия, за да се сдържа да не се прозея.

Когато занятията свършиха, се отправих към дома и автобусната спирка, бързах, за да бъда навреме за училищния автобус на децата. Прегърнах ги и тръгнахме към вкъщи; те обещаха да си играят тихо. Аз бях толкова изморена, че ми беше трудно да заспя. Знаех, че трябва, защото тялото ми се изтощи, но мозъкът ми все още мислеше за милион неща: училище, тъжното лице на майка ми, когато тръгнахме, шефът ми, който риташе кутиите в мръсния камион.

Денят свърши, когато мъжът ми се върна от работа. Време беше за пореден път да се кача в тъмния, мръсен камион и да строя стена след стена от кутии, докато не пропеят първи петли.

Това се случи преди 20 години, когато трябваше да се научим да оцеляваме в тази нова – за нас – страна. За да получим заем или да наемем апартамент, аз и съпругът ми трябваше да имаме кредитна история и работа на пълен работен ден. Като новодошли обаче ние не отговаряхме на нито едно от тези изисквания. По онова време в района нямаше много българи и беше трудно да се намери гарант. За щастие, собственикът на местна компания беше българин и познаваше името на съпруга ми от спортните вестници. Той му помогна да си намери работа във фабриката си и ние успяхме да обезпечим апартамента. Аз си намерих работа в ресторант. Трябваше да работя нещо – каквото и да е. Това беше ниско платена позиция, но все пак беше работа. Преди частния ни бизнес в България аз работех за международна банка и пътувах много. Последната ми работа в родината беше ревизор – стресираща работа по време на политическия период на промяна в България. Когато започнах работа като сервитьорката в Америка, реших, че ще е лесно. Бях изненадана, когато открих колко предизвикателства има; да не говорим за разликите в културата и езика. Едно нещо, което научих през всичките тези години, е, че за всяка работа се нуждаете от умение и трябва да харесвате това, което правите.

Все още разказвам една забавна история на децата и приятелите ни от времето, когато бях сервитьорка. Клиент поръча газирана джинджифилова напитка, но аз реших, че казват заглавието на известна Коледна песен и се зачудих дали не си поръчват музика. Втурнах се към кухнята и с ръце и няколко английски думи успях да обясня, че клиентите искат Коледна песен. Всички изглеждаха озадачени. За щастие, приятелски настроеният готвач се досети, че вероятно са поискали напитка, наречена джинджифилов ейл. Той отиде да им поднесе специално предястие и да поговори с тях, за да се увери, че предположението му е правилно. И се оказа прав, бяха поръчалинапитка. Двадесет години по-късно тази случка все още ме разсмива. Тогава бях разочарована и готова да се откажа от работата, но не го направих.

Сега нещата са различни. Много българи, които пристигат със зелена карта, започват добра работа през първата си седмица и квартирата им не е проблем. Големите български общности в жилищните комплекси взаимно се препоръчват. Мястото, в което живеехме, в крайна сметка се превърна в малка българска общност с поне още десет семейства – всяко пристигнало там по препоръка на някого.

В началото работата ми в UPS беше наистина тежка, но беше добра възможност. През деня можех да ходя в колеж, а и куриерите също плащаха добре: зареждах камиони през нощта, за да печеля пари и да помагам със сметките.

Лъскавата ми диплома от България не впечатли никого тук. Бях икономист, но открих, че само програмистите могат лесно да намерят работа, дори без диплома. Поради тази причина се върнах в училище и реших да уча нова професия.

След като завърших колежанската програма, успях да си намеря добра работа. Късметът ми свърши, когато интернет балонът се срина и аз загубих работата си. Сметките продължаваха да се трупат, така че трябваше да намеря няколко концерта, където да работя като изпълнител. Обещах си, че ще продължа да се движа напред и нагоре и ще завърша второ образование. Отне ми много лишения: липса на сън и ценно време, което можех да прекарам с децата си.

През късните вечери след лекции само плъховете в Бостън бяха единствените живи същества, които ми правеха компания по празните градски улици. След дълъг работен ден можех да се отпусна, докато седя в празното купе на последния влак от гара Север. Облягах глава към прозореца. Дъхът ми образува леденостудени снежинки върху стъклото. Спирката ми беше предпоследната по маршрута, а колата ми – последната, останала на безлюдния паркинг. Със замръзнали ръце отключвах вратата и тръгвах към вкъщи.

Мигове по-късно прегръдките от момичетата ме връщаха в моя свят, където беше топло и красиво, свят, пълен с обич и грижа. Твърде често единственото нещо, което имах сили да направя, беше да поставя главата си върху възглавницата. Чувствах се виновна за това, че съм твърде уморена, за да им чета приказки.

Надявам се, че когато стана баба, ще имам възможност да го правя за моите внуци.

Въпреки препятствията успях да се сдобия с две дипломи и да завърша елитни колежи. На последната церемония по случай дипломирането бях на сцената с моите съученици и се радвах да видя моите момичета в публиката. Бях сигурна, че се гордеят с мен и ще последват моя пример.

Животът може да бъде пречка за постигане на цели, но когато има цел, човек може да я постигне. Нито потокът от тежки кашони, непознаване на езика и местната култура, нито други трудности ме плашеха или възпират. Имах цели. Трябваше да оцелея, за да постигна всяка една от тях. Трябваше да се концентрирам, за да мога да продължа да се утвърждавам като професионалист, да изграждам кариерата си и да се грижа за семейството си. Години по-късно, когато присъствах на церемонията по дипломирането на децата си, видях плода на моите усилия.

Трудно е, когато си в нова среда и не знаеш как да общуваш с хората и да задаваш въпроси, за да намериш нещо елементарно. Не знаете какво е позволено и какво може да бъде изтълкувано погрешно от вашите колеги и нови приятели. Когато кажете дума, която звучи странно и неузнаваемо за всички. Или казвате името си няколко пъти, преди хората да го произнесат правилно или да го запишат в бележките си за дадена среща. Когато се уморят да питат как да произнесат фамилията ми, ми говорят само на малко име.

Може би затова винаги съм била привлечена да работя в екип, където има хора от разнообразни култури – всички са с различен произход. Опитват се да разберат какво имаш предвид и акцентът ти не се усеща толкова груб и забележим по време на колективни разговори, защото всеки има своя уникален акцент.

След 20 години, работа, учене и слушане все още съм нервна, когато пиша имейли или правя проста презентация. Измервам всяка дума няколко пъти, но когато трябва да отговарям бързо на няколко имейла, правя грешки, които накърняват моя имидж на професионалист. Склонна съм да подценявам себе си, вярвайки, че не съм квалифицирана да свърша дадена задача.

Когато поискам повишение или кандидатствам за нова работа, трябва да си припомням откъде идвам: летящите колети, гладните плъхове по пустите улици на Бостън и студеният вятър, пронизващ костите ми. Това ме мотивира да изисквам хората да уважават моите постижения. Ценя всичко, което постигнахме с лишения, труд и търпение.

Fearless [Безстрашна]. Това е дума, която чух от приятелка от Тайван. Безстрашна – тази дума заседна в съзнанието ми. Тази жена също е преминала по трънливия път на успеха. Сега е успешен зъболекар, но преди 25 години, когато пристигна тук, не беше. Изгради практиката си в центъра на престижен град; професор е в един от най-добрите колежи в Бостън. Тя обича да казва следното: „Никога не се отказвай; винаги има изход".

Тя и аз имаме различни съдби, но и двете сме безстрашни жени, две от многото, които съществуват.

Безстрашни.

Глава 11: Кръгът на любовта (хорото)

Традиционното българско хоро е толкова разнообразно, колкото и самите ние, дъга от цветове и музика. Това е повече от танц; за мен това е кръг от любов и единство. Танцуваме хоро на сватби, именни дни и национални празници. Кръгът и държащите се ръце представляват единството на общността.

В миналото хората се събираха на площада на селото, за да отпразнуват важни празници като Гергьовден и Великден. По време на комунистическото управление обаче единственият основен празник, който хората могат да празнуват официално, беше 9 септември, Денят на победата на партията.

Хорото винаги е било централна част от тези събития. Освен танци, това е било социално събиране, място за младите хора да се срещнат и да разговарят, да се опознаят – преди да се пристъпи към годежа. Тези традиции все още се съхраняват по селата в България.

Когато бях дете, в селото, в което живееше баба ми, местните жители изпълняваха жива музика на централния площад, наречен Мегдан. Всички празнуваха и танцуваха, разговаряха и се смееха. Всеки човек се чувстваше равен с останалите, когато са на хорото. Беден и богат, комунист и кулак (заможен селянин), всички бяха равни. В кръг, държейки се за ръце, усмихвайки се, гледайки се в очите, те забравяха враждата си.

Ханът на баба ми беше в центъра на селото, така че музиката, хорото и всички други тържества винаги се случваха пред входната й врата. Въпреки че не беше доволна от сегашния комунистически режим, тя обичаше да танцува и да се смее, да бъде сред хора. Докато хорото си извиваше пред портата, тя се включваше в танца и се държеше за ръце с приятели и врагове. Усмихваше се с гордо вдигната глава, а смехът й отекваше над район Клисура в село Люти дол.

Баба ме насърчаваше да танцувам и аз се опитвах: подскачах с новите си лачени обувки и се въртях в кръг, облечена в любимата си рокля. За съжаление, и до ден-днешен мога да танцувам само право хоро, което има прости стъпки. Въпреки че не съм изкусен танцьор, винаги се присъединявам към кръга на единството и радостта, когато хората танцуват по различни събития. Никой няма да ви съди нито ще оценява уменията ви по време на хорото.

Всички около Вас Ви приемат и насърчават да се учите. Гледам краката на човека до мен, следвайки стъпките му. Дори и без да го правя, намирам, че музиката и високото ниво на енергия ме улесняват да следя танца и да се уча.

За хората, които не са свикнали с българската култура, първото им впечатление от танца е, че просто скачаме и крещим. Има повече от това: смисъл и ритъм се крият във всеки танц.

Моите знания и размисли по тази тема идват от личен опит, от разговори, които съм водила по селата, и от тези видни родолюбци, посветили живота си на запазването на тези мистични ритуали и традиции, пренесени днес и в чужбина.

Наричам танца ритуал, защото това е свещена традиция, която сме наследили от траките, обитавали българските земи (и не само) преди хиляди години. Хорото за тях е било начин да свържат материалния свят с духовния си живот, кодиран в ритъма на танца. За траките, сред които е и легендарният Орфей, родом от Родопите, музиката е била онова, което свързва човечеството с духовната реалност.

Българският фолклор носи специфичен ритъм. Най-популярният такт е 7/8, на който по двойки танцуваме нашата ръченица. В този ритъм е вибрирането и на космическите сфери, сред които е слънцето, което играе свещена роля в тракийските вярвания и ритуали. Както слънцето изпраща два къси, а след това един дълъг импулс, така работи и човешкото сърце.

Веднъж по улиците на Велико Търново, старата столица на България, попаднах на изложба, посветена на хорото. Картините, представени в изложбата, са направени от отпечатъците на танцьори на хоро. Бях изумена от символиката, кодирана във всеки танц. Някои от отпечатъците наподобяваха лятното огнено слънце, огряващо нивите на нашите предци. Други ми напомниха за бродерията в българските геометрични шевици, предавани на поколенията от векове. Някои шарки бяха във формата на снежинка. Други ми напомниха венеца на Еньовден (Ден на лятото), в който жените втъкават 77 ½ билки, събрани при първите вълшебни лъчи на слънцето на 24 юни.

В миналото е имало строга структура относно изпълнението на хоро. Според старите канони момите – млади, неомъжени жени – изпълняват първия танц. След тях е ред на ергените. Следват омъжените жени, чието хоро е по-спокойно, бавно и достойно.

Накрая всички мъже танцуват – преди да започне пиршеството в местната механа. Носи се "тежко" чорбаджийско хоро: стъпките са бавни, мъжете се държат за ръце или рамене, а музиката е меланхолична.

Структурата на хорото е преобраз на йерархията на българското семейство. Човекът, който води танца, обикновено е най-възрастният или най-почтен човек в общността, най-авторитетният човек в селото, често това е самият кмет. Следват омъжените мъже, подредени по възраст. След тях са ергените. Женският състав отразява този на мъжете: първо омъжените, а след това момите. Най-накрая са децата. Последно на хорото, според традицията, трябва да танцува момче.

Дори в чужбина днес хорото е сбор както на познати, така и на непознати. Небългарските ми приятели го приемат с интерес и се чудят, когато обяснявам, че днес наистина няма правила. Казвам им, че могат да се присъединят към този кръг на положителна енергия без разрешение, дори ако не познават никого на събитието. Не е нужно да се притесняват, че могат да бъдат нежелани, защото всички са добре дошли да се хванат на хорото по всяко време и да се оттеглят, когато пожелаят. Важното е да се запази целостта и единството на кръга.

Няма разделение между можещи и неможещи, между експерти или просто начинаещи. Този, който не може да танцува, получава възможност да се учи. Ако е сляп, може да чуе музиката и да танцува. Ако не говори езика, ще научи стъпките, защото музиката не е необходимо да се превежда.

Танцът носи енергия. Понякога, дори да съм без дъх, не спирам да танцувам. Все пак не се чувствам уморена; точно обратното, аз съм освежена и заредена с енергия. Може би защото за него се казва, че лекува и прогонва злото.

Въпреки че нямаме много възможности да танцуваме фолклор, аз имах шанса да преподавам български танци на организацията Guard Up!, чиято централа се намира в Бостън. Те организират летни лагери за деца, за да ги запознаят с други култури. Работих с тях на доброволни начала и запознах децата с българските ритуали и митология, включително историята за мощната Ламя. Една от вечерите беше посветена на българската народна музика и танци и нейното магично въздействие.

75

За моя изненада програмният директор ме помоли да представя танца Калушари. След няколко разговора с български хореографи в Бостън, научих, че никой нищо не знаеше за този танц. Реших да потърся в интернет, да гледам видеоклипове в YouTube и да представя наученото пред децата.

В наши дни ритуалът се изпълнява по фестивали. Обикновено група от трима, петима или най-често седем души изпълняват този танц. Фолклорът изисква да участват само мъже, наречени калушари. Боях се, че нарушавам канона, тъй като съм жена, която участва в това хоро.

Мъжете носят бели бродирани ризи и окачват лечебни билки на калпака си и хлопатари или звънци по потурите или колана си. Всеки танцьор носи дървена пръчка, с остър железен шип най-отдолу, с който рият в земята по време на ритуалния танц. Използвах пръчка, но за да направя презентацията по-вълнуваща, реших, че децата могат да използват пластмасови мечове, тъй като вече бяха наличен инвентар от друга игра.

В миналото танцът се изпълнявал не само за здраве и плодородие, но и за лечение на болни хора. Мелодията на калушарите е особено странна форма на ръченицата, но по-ситна като ритъм, която се изпълнява от гайдар. Смята се, че ръченицата е най-бързото хоро, но има два вида ръченица: тракийска и шопска. Тракийският танц е бавен и стъпките са ниско до земята, докато шопският е по-бърз; танцува се с по-високи стъпки. Ролята на мелодията в този ритуал е да накара калушарите да изпаднат в транс, през което време те се свързват със свръхестествените сили на природата.

След седмици работа и тренировки у дома под зашеметения поглед на съпруга ми и момичетата ми, успях да усъвършенствам вълшебните стъпки на танца. Бях направила своя собствена версия на танца, но доколкото е възможно се опитах да запазя автентичността му. Успях да намеря и мистична музика. В процеса на подготовка за програмата реших да науча и децата на още един тип хоро за края на събитието, право хоро.

Чудех се как малчовците, които никога не са чували за хоро и българска народна музика, ще приемат танца. За моя изненада те научиха хорото в движение, като с голямо внимание наблюдаваха всяка стъпка, която правех. В края на вечерта всички те успяха да изтанцуват и двата танца.

Очите ми се насълзиха, когато гледах повече от 200 деца на възраст между 10 и 15 години да се държат за ръце и да танцуват в кръг в ритъма на българската народна музика. Не се разминахме без бис – единодушно всички поискаха да изтанцуват хорото отново. Получих много благодарности след събитието. Чувствах, че съм част от важен ритуал, който намери отражение в очите на децата. Иска ми се собствените ми деца да научат хорото и да го предадат на собствените си деца, но времето ще покаже.

Клубовете и групите в чужбина учат хората на различни фолклорни танци, а талантливите професионални групи изпълняват хора по фестивали и събития. Един утвърден ансамбъл, „Лудо младо“, беше мой гост при представянето на първата ми книга „Мистична Емона: Пътешествие на душата“ в Бостънския университет. Те омагьосаха гостите с прекрасната хореография на тракийска сватба и мистиката на танца на самодивите.

От години в Чикаго фестивалът „Верея“ е престижно място, където всяка година ансамбли се състезават в продължение на цяла седмица. Те представят на публиката своите цветни костюми, музика и хореография – седмица, изпълнена с храна за душата и удоволствие за очите.

В САЩ не се провежда български концерт или пикник без хоро. Имаме Фестивал на розата, пикник на Гергьовден (6 май), Нова година, в Деня на българската независимост (3 март), на Деня на българската писменост и култура (24 май) и, разбира се, на частни събирания, абитуриентски партита и сватби.

Музиката кара стари и млади, българи и чужденци да се хванат за ръце и да танцуват до зори.

Участието в хорото е духовно пътешествие. Интересно е да се отбележи, че движението на танца е отляво надясно или обратно на часовниковата стрелка. Нестинарите също вървят обратно на часовниковата стрелка; дори въртенето на баницата е обратно на часовниковата стрелка. Може би традицията идва още от древните траки. Вляво е духовната, небесна, безсмъртна посока, а отдясно – земната и смъртна.

За мен хорото е свещен обред на единство, при който от човешките длани, очи и усмихва се излъчва енергия, която ни зарежда с неизмерима и освежаваща сила.

Това е кръгът на Любовта.

Глава 12: Магията на водата (Самодивска чешма)

„Вятърът духа след стъпките ни – първо страстите, а след това времето ни поглъща. Тази чешма е построена, защото камъкът е по-траен от нас, а водата е вечна" – цитат, издълбан върху чешма; автор – неизвестен.

Чешмите имат специално място в живота и бита на българите. Те не само носят животворна вода, но могат да бъдат и красиви произведения, наследство от онова, което са оставили техните строители. Засаждането на дървета, улавянето на вода и изграждането на чешми са добре познати традиции в България и до днес.

Като дете имах възможността да уча в Трявна, красив град, известен със своята школа по дърворезба, красиви къщи от Възраждането и часовникова кула. Стоях с часове в основата на кулата, гледайки я с очарование. Трявна е мястото, където за първи път се влюбих в гората и магията на дърветата: бях на около 12 години, възраст, когато сме още деца, но започваме да се трансформираме във възрастни. Гледах с възхита работата на старите майстори, приказките, направени от парче орехово дърво, история, издълбана върху дървената дъска от талантливи ръце – това ме накараха да реша да се занимавам с дърворезба. Когато за пръв път докоснах дървен материал, усетих душата му. Всяко парче дърво носи история, която трябва да бъде разказана, да бъде показана на света. Животът ми се промени. От много години комплектът ми длета стои заключен в една кутия, но съм сигурна, че един ден ще ги извадя: когато им дойде времето.

Душата от миналото живее и на други места в Трявна. По време на престоя си научих прекрасна любовна легенда. Често минавах покрай чешма от бял мрамор с изваяно лице на красива девойка и мраморна пейка до нея. Един ден преподавателят ми по изкуство разказа на целия клас легендата за тайната любов между млад дърворезбар и най-красивото момиче от града. Младият човек още не бил признат за майстор, така че му липсвала смелост да поиска ръката й. Тогава решил да покаже на местните майстори колко е талантлив и избрал мрамор, най-трудния материал за работа. Направил чешмата, като изваял образа на любимата си, а водата става символ на вечното сливане на душата им. След като чешмата

79

била завършена, майсторите приели младежа в гилдията си: получил не само тяхната благословия, но и ръката на момичето.

До ден-днешен водата от тази чешма тече през цялата година и никога не пресъхва, нито замръзва. Легендата разказва, че ако някой отпие от тази вода, отпива частица от любовта, която остава завинаги в душата му. В българския фолклор и литература има много песни и стихотворения за градските или селски чешми. Не е трудно да се разбере, защото за българина водата е свещена, лековита и магическа.

Соколовският манастир се намира близо до Трявна. Защо го споменавам?

В цяла България има много чешми, но тази, на която най-много се възхищавам, се намира в Соколовския манастир – чешма от бял камък и с осем чучура.

По време на Априлското въстание през 1876 г. въстаници, предвождани от Цанко Дюстабанов, се крият в приют в Соколски манастир. Биват намерени, осем от бунтовниците са заловени и обесени и телата им са хвърлени в дълбока пропаст до манастира. Като символ на тази трагедия през 1868 г. известният български майстор строител Кольо Фичето построява каменната чешма с осем сокола, олицетворение на героите. Легендата гласи, че чешмата никога не пресъхва, а водата ѝ има чудодейни способности да лекува болни и да предпазва от зли духове.

В легендите се разказва, че всеки воден басейн си има свой дух. Хората вярват, че водоизточниците, изворите, реките и езерата се пазят от тези същества. Най-известните водни духове са русалките. Появяват се на сушата в най-чистата си и най-стара форма само за една седмица през годината, за да се разпространят плодородието по земята.

Съществуват обаче и ужасяващи песни и легенди за чешмите: разказват как сянката на момиче или жена (или дори самата тя – физически) е вградена в строежа на чешмата. Според фолклора, когато се гради мост, къща или чешма, сянката на човек трябва да бъде вградена в основата му, за да я направи здрава. Това става, като се измерва човекът или сянката с връв и се поставя в кутия, която строителят затваря в основата. Обикновено това е случаен минувач; но в някои легенди това е девойка или майка с дете. След 40 дни обаче този човек умира. Дали е заради ритуала или не, но тези мостове и чешми са оцелели до днес – и така поддържат легендите живи.

Чешмите и кладенците са били място за срещи на младите. В българския фолклор кладенците са били мястото, където змеят чака любимата му девойка да дойде, за да може да я направи своя жена.

Други легенди разказват за воден стопан(ин) или водни биволи, които са пазели съкровища. Когато бях малка, баба ми ме изпрати за изворна вода на място, наречено Бивола. Чешмата има три чучура, запушени с дървени тапи, за да не тече водата през цялото време. До чешмата растеше стара върба. Никой не знаеше на колко години е, но по кората и ствола си личеше, че е на повече от пет века.

Водата беше бистра като сълза, сладка и студена. Използвахме грънчарски съд, наречен стомна, за да носим водата. Стомната съхраняваше водата свежа и студена поне няколко часа. Баба ни казваше да не ходим до чешмата по тъмно, защото Биволът ще излезе и ще ни отвлече, за да защити скритото съкровище. Ние, децата, рисувахме карти и измисляхме истории, но никога не се осмелихме да копаем покрай върбата, за да открием съкровището.

Терминът „мълчана вода" ччсто се среща в народните приказки. Това означава, че хората, най често моми трябва да носят водата от извора до дома си в пълна тишина. Вярва се, че на някои празници тази вода и росата по тревата имат лечебна сила. В миналото хората по селата са използвали мълчана вода при приготвянето на обреден хляб; тази вода се използва да предпазва от уроки, зли духове или „лошо око" – от всеки лош човек, който Ви гледа и Ви прехвърля лоша енергия. Обикновено урочасаните страдат от главоболие и треска, а лицето им почервенява.

Когато ни болеше глава, баба казваше, че имаме уроки, взимаше въглен от жарава от огнището и мърмореше нещо с нисък глас, правеше символичен кръст над водата три пъти; после пускаше въглена в глинената паничка с вода. Ако съскането беше силно, това означаваше, че сме урочасани (т.е. сме били погледнати от „лошо око"). От думите ѝ разбрах само „змей" и „орел". После ни накара да изпием водата и да си измием очите и лицето с нея. Никога не ни каза за какво става дума, освен че водата носи магия. Понякога държеше ръката си над чаша вода и седеше вцепенена няколко минути със затворени очи. Сподели ни, че говори с водата и я моли да пречисти тялото ѝ и да ѝ даде сила. Когато бях дете, всички тези ритуали ми бяха странни и забавни.

Днес много статии говорят за „паметта" на водата. Може ли водата да реагира на нашите думи, емоции и вибрации? Не знам. Не съм учен, но мисля, че за моята баба и тези, които вярват в силата на водата, тя им носи лек, сила и младост. Всеки от нас трябва да вярва в нещо, което му носи комфорт, късмет и сила, за да стоим на земята и да продължаваме по своя предначертан път.

Използвал съм този „воден" метод, за да лекувам и децата си. Докато други гълтаха Аспирин, аз помагах на децата си с вода. Тъй като нямах мълчана или изворна вода, използвах обикновена, чиста вода от чешмата. Запалвах кибритена клечка, прекръствах 3 пъти, казвах на лошите сили да отидат в гората и пусках горящата клечка във водата. После измих очите на децата. Независимо дали лечебната сила на водата се дължи на силата на вярата в чудеса и умения, наследени от баба ми, водата винаги е помагала на децата ми.

Дори известният българин Петър Дънов признава водата за важен елемент за хората и лек срещу болести. Дънов изучава медицина в Бостън и получава сертификат за практикуване през 1894 г. Последователите му все още го наричат „Учителя Беинса Дуно". Името идва от санскрит и се превежда като „Този, който носи добра дума". Самият Дънов взима прозвището и го използва като псевдоним, когато пише статии. Ученията му са все още живи и имат последователи по цял свят.

Според Дънов водата е едно от веществата, които имат най-голяма сила на планетата. Толкова е мощна, че може да пробие камък. Водата ни заобикаля и представлява най-голямата част от тялото ни. В природата водата почиства земята и премахва отровите от тялото ни.

В българския фолклор повечето ритуали се изпълняват с помощта на вода: мълчана, цветна, жива и светена вода. В продължение на няколко дни от годината, можете да извършвате ритуали с вода. Единият се нарича Водици или Дни на водата, на 5 януари. В полунощ небето се отваря и можете да използвате вода, за да се свържете с Бога и да Го помолите за защита и здраве. Това е нощта, в която всички желания могат да се сбъднат. Някои хора използват този ден, за да изпълняват магически заклинания, но аз съм възпитана да стоя далеч от бялата и черната магия. Според баба ми магията е енергия, която пътува и се връща при нас, заедно с нашите мисли.

Следващият Ден на водата е Богоявление, празнуван на 6 януари. Този празник има различни имена в различни райони на страната, напр. Денят на кръста или Ден на водата. Въпреки че през януари е студено, по традиция свещеникът хвърля кръст в река, езеро или друг воден басейн. Мъжете се гмуркат в опит да намерят. Победителят излиза от водата с усмивка, въпреки премръзването си. Сребърният кръст в ръцете му е трофей – награда за здраве и богатство през цялата година.

Увлекателна е гледката на група облечени в бяло мъже как скачат във водата. Вълните се разбиват срещу тях и всички те гледат свещеника, който стои на брега и държи кръста над главата си, докато води церемонията. Слънцето огрява сребърния кръст и пръска лъчи от радост над главите на всички събрали се. Студено е, но чистотата и божествеността на момента ги кара да забравят за студа.

Изглежда лудост да скачаш в замръзнала вода, но това е традицията. Тук, в САЩ, в градове, където има голямо население българи, се изпълнява този ритуал. На места дори танцуват хорото в студената река, а водачът на хорото носи българското знаме. Хората са приели Америка за своя майка, но все още пазят родината в сърцата си. През последните няколко години в Чикаго мъжете изпълняват хоро в ледените води на езерото Мичиган; младежите се гмуркат, за да потърсят във водата кръста. В други градове хвърлянето на кръста се извършва всяка година.

Последният ден от дните на Водите е на 7 януари. Това е денят, в който млади и стари, младоженци и новородени, се къпят с новата, кръстена вода, за да бъдат здрави през цялата година.

Водата е важна и в други дни и сезони. В нощта преди Гергьовден (6 май) и Деня на лятното слънцестоене (24 юни), болни и здрави се къпят в росата. Има вярване, че росата има лечебна сила дори и в наши дни.

Нека не забравяме, че във водата се извършва кръщаването. Думата е с гръцки произход – идва от baptismos, която означава „изцяло покрит с вода" или потопен. Ранната църква е извършвала кръщението в река или море, но много пъти съм била свидетел на кръщения и в океана – и през лятото, и през зимата.

Водата е тема в много легенди и истории. „Живата вода" е популярна в песните и приказките. Героят трябва да намери жива вода и да спаси принцесата. Според българските вярвания единственото създание, което може да стигне до живата вода, е орелът.

Водата лекува болести и подмладява. Вземете, например Фонтана на младостта. Хората са го търсили и продължават да го търсят. Дори в САЩ има извор на младостта. Намира се в Свети Августин, най-стария град в страната. Имах щастието да го посетя това свято място и лично да отпия от вълшебната течност.

Да, водата е чудо. Трябва да я ценим и защитаваме, за да могат и бъдещите поколения да се насладят на нейната магическа сила. Водата е необходима на нас, но и на всички живи същества. Ще завърша с цитат от Леонардо да Винчи, наречен някога „Господарят на водата", понеже прекарва целия си живот в изучаване на мощната течност: „Водата е движещата сила на цялата природа".

Глава 13: Блага душа

Българите посрещат децата си на този свят с хляб и изпращат близки и приятели във вечността отново с хляб.

Както в чужбина, така и в България, хлябът е на почит. Той е най-важният елемент при събирания в общността. По време на празниците централно място на празничната трапеза заема именно хлябът.

Баба ми по майчина линия казваше, че хлябът трябва се почита, защото има душа. Добра душа, блага душа, така се нарича хлябът без мая, който се пече в подница*. Според нея думата „хляб" трябва да се изписва с главна буква. И никога не ни разрешаваше да режем хляба; трябваше внимателно да го чупим на късове. Хлябът се тачеше†, не ни се позволяваше да хвърляме хляб в боклука; събирахме внимателно трохите от масата и ги давахме на кучето или на кокошките.

Като малко дете прекарвах по-голямата част от времето си с нея и дядо, защото родителите ми работеха на пълен работен ден в София и нямаха възможност да се грижат за мен. Обичах и баба, и дядо, но ми липсваха родителите. Те ме посещаваха събота и неделя, опитваха сее два пъти месечно. Неделя вечер винаги ми носеше тъга; това беше моментът, в който прегръщах мама и татко и застанала до баба на портичката, махнах с ръка, докато колата им не изчезнеше обвита в нощния мрак. Стисках куклата и бършех сълзите си с къдравата и сребристо руса найлонова коса. Няколко дни седях с часове на дървената оградата, с куклата в ръка, с надежда да видя колата.

Времето, прекарано на село, беше не само приключение, но и учение. Обучение на труд; уважение към хората, храната и всички дарове от природата. Родителите на мама живееха в едно и също село с тези на тате, но къщата им беше в махала в полите на планината, докато родителите на баща ми живееха центъра на селото. Баба ми трябваше да извърви два километра до центъра на селото, където можеше да купи продукти като захар, олио, обувки и дрехи. Аз пъплех след нея по прашния път, без да хленча, но на

---

* Подница – глинен съд за печене на хляб
† Тача – отнасям се с уважение; зачитам, оценявам, уважавам, ценя.

връщане винаги получавах сладка меденка или вафла „Морена" и шише боза. Това ме мотивираше да я придружавам и помагам с пазара.

Те имаха добитък и градини; произвеждаха сирене, мляко, масло, яйца и месо, зеленчуци и плодове. Всяка година, след като прибираха реколтата на есен, селяните в махалата се събираха вечер за седянка. Тази среща се правеше от къща на къща, за да помогнат на домакините с обработването на урожая. Обикновено царевицата и зърното се обработваха за една вечер и на следващата вечер седянката се приютяваше в съседната къща, където имаха нужда от помощ. Хората седяха в кръг и белеха царевицата или почистваха боб, предварително събран на купчина и натрупан с тупалката за черги, така че да се отвори и излезе от шушулката. Царевицата се държеше в плетени кошове и се белеше ръчно.

Хората бъбреха закачливо, пееха песни, разказваха си случки или вицове. Като парти, но се вършеше работа. Приятно беше да видя как всички се забавляват, разговарят, хапват, пийват червено вино и работят задружно.

Традиционно, след като царевицата узрее и се смели, брашното се съхранява на сухо и се използва през зимата за приготвяне на царевичен хляб и качамак. В различни региони на страната качамакът се прави по различен начин: на някои места с мляко, на други със слоеве пържено свинско, масло и сирене. Баба го правеше като хляб, а понякога го правеше като торта, на пластове, с трошички сирене, масло и червен пипер.

От време на време и аз правя качамак, но никой в семейството ми не го харесва. За мен това е храна за утеха, която ме връща в детството.

Баба отделяше жълтата царевица за животните и я слагаше в двора в голяма плетена постройка, която приличаше на кошница за великани. Когато бях сърдита, обичах да се крия там. Бялата царевица беше запазена за брашно. Имаше и специална царевица за пукане. Баба правеше пуканки на печката и изсипваше домашно масло върху белите хрупкави царевични цветчета, традиция, която ние, децата, очаквахме с нетърпение.

Бялата царевица също се вареше през зимата – като десерт, приготвен със захар и орехи, които тя печеше със сол във фурната. Събираше ядките и листата от огромното орехово дърво в задния двор. Листата предпазват дрехите в гардероба от молци, а и се използват като естествен оцветител за прежда и великденски яйца. Всичко си има своето предназначение и употреба.

От прясната бяла царевица баба и дядо ми правеха брашно в мелницата на дядо Стоян. Намираше се накрая на селото до извор, наречен – разбира се – „Извора" и малка рекичка, която имаше достатъчно мощност да задвижи каменните колела на мелницата. В близост се намираше и селският казан, важно място, където хората правеха ракия от ферментирали сливи и остатъците от вино по дъното на бъчвите.

Мелницата все още стои, но пустее; единствено самодиви* мелят брашно там, а караконджули† обикалят около нея през нощта. На Балканите и по селата хората вярват във вампири, караконджули и други зли сили. Баба извършваше ритуал, за да ги прогони от къщата като раздаваше хляб и мед да ядем и казваше: „Болестта и всички зли духове да отидат в гори *Тилилейски‡* и никога да не се връщат".

Друг ритуал, който си спомням, е че се дава мед или меден хляб на самодивите, когато някой се разболее, с надеждата, че те ще отнемат болестта. Също така, когато кокошка снесе яйце без черупка или с мека черупка, баба отиваше до близкия кръстопът и поставяше яйцето в центъра и след това молеше духовете за здравето на къщата, като правеше специален обреден хляб. Тъй като това се случваше в малко затънтено село в Балкана, кръстопътят не бе с натоварено движение: на седмица минаваха 1-2 коли... Винаги съм се чудила дали яйцето все още е там. На следващия ден се връщах на мястото и като не намирах яйцето, вярвах, че самодивите са го взели. Сега като разсъждавам за това, съм сигурна, че гладни врани или лисици са чакали да грабнат лесната плячка.

На по-духовно естество Хлябът в светата църковна литургия е символ на Христовото тяло, а виното е Неговата кръв. Приемаме го като Свето Причастие, което води до обновяване на живота.

---

* Самодива – митическо женско същество, което живее в планините и горите, често враждебно настроено към хората
† Караконджул – фолклорно създание, което плашело и вредяло на хората. Наподобявал космат човек с голяма глава, рога, опашка, едно око и един крак. Познат и сред съседните балкански народи.
‡ Тилилейските гори са стара метафора за тъмно място в края на света, където никой не иска да отиде.

Ритуален хляб се прави и за сватби, кръщенета, погребения, помени, Коледа и Нова година. В България на празненства всеки гост традиционно се посреща с хляб и сол. Това е традиция, която се използва и по време на дипломатически визити в България.

Ритуалният хляб се нарича пита, и е кръгъл. Винаги съм се чудила защо има тази форма. Баба не беше ходила в университет, но имаше отговор на нашите въпроси, така като възприемаше света по свой начин. Според нея хлябът е кръг, защото Земята и слънцето са кръгли; хлябът е символ на Космоса.

Украсата на хляба варира в зависимост от празника/повода и в кой район на страната се прави. Жените, които го месят, го украсяват с цветя, кръст, слънчеви лъчи или животни. На кръглата питка хората рисуват символи на изобилие, здраве, плодородие и щастлив живот. Хлябът като символ се свързва с вечния цикъл на живота, с безкрайността, с кръга, със слънчевия диск и с домашното огнище. Днес питката все още е кръгла, но няма същата украса като преди години, всичко вече е осъвременено.

Сватбеният хляб се нарича засявка. На сватбите има основно два вида хляб: сладка питка и кумов кравай. Сладката питка е хляб със скромна или никаква украса. Кумов кравай обаче е богат на декорация, натоварен със символика, която има магически ефект върху младото семейство. Най-често тя включва изображение на птица, символ на семейството.

Друг случай, когато се пече хляб и да се канят хора в дома, е когато малкото бебе проходи. Наред с хляба родителите подбират предмети като молив, книга, ножица и калкулатор и ги подреждат на пода върху бяла кърпа. Търкулват кръглия хляб пред детето и насърчават малкото да върви след него. След като достигне хляба, детето ще прояви интерес и към предметите върху кърпата и ще избере един, който нарича каква професия ще има детето като порасне. Ако е ножицата, детето ще стане шивач или фризьор. Миналата година децата ми отидоха на събитие в къщата на един арменски приятел тук, в Бостън, където те са правили този ритуал, наречен Прощъпулник.

Преди няколко седмици имах честта да присъствам на сватба. Младоженецът беше американец с български произход, а булката – американка. Изпекох пита за повода, и друга дама беше направила вкусна питка. Всички се втурнаха на масата, където беше хлябът. На нашата маса бяха седнали неколцина гости от страна на булката. Погледнаха хляба, но не бяха сигурни как да си вземат парче. „Изглежда вкусно. Знаеш ли как да го нарежем?" – попита едното момиче. Казах й да използва ръцете си и да си отчупи парче, защото българите не използват нож за рязане на обреден хляб – тъй като се вярва, че този хляб носи душа. Погледнаха ме все едно съм луда, но накрая същото момиче си взе парче. След няколко минути откъсна второ парче. Другите около нея последваха нейния пример. По-късно я видях как танцува хоро… Да, отнема време, за да научим нещо за друга култура, но това е красотата на откриването и смесването на хора от различни среди.

Тъй като хлябът е толкова важен, има много приказки и книги за него. Баба ни разказваше приказки за Хляба. Когато го изваждаше от огнището или печката на дърва, ние вдишвахме сладникавата му миризма и наблюдавахме с лакоми очи кафявата коричка. Тя ни каза, че хлябът трябва да обиколи нивите и тогава можем да го изядем. Седяхме и чакахме. Погледнах тайно, за да видя дали питката се е върнала и се чудех как Хлябът ще посети нивите, тъй като няма крака.

След около час тя сложи хляба на масата, като леко разгъна памучната кърпа, която го обгръщаше. Алчно погледнахме вкусната питка. Коричката се топеше в устата ми, това беше най-вкусният хляб, който съм вкусвала: прост обикновен хляб с малко българска чубрица. Животът в селото беше прост, но изпълнен с въодушевление, емоции и радост от малките неща.

Животновъдството и земеделието са били наш основен поминък и земята също е на почит. Баба правеше специален ритуален хляб, наречен „параклис" – не само за именни дни, но и в края на жетвата – след прибирането на житото и царевицата и смилането на зърното. По традиция след като хлябът е готов, най-възрастната жена в къщата кади на трапезата с тамян. След това жените отиват на близката чешма (кладенец или извор), където поръсват хляба с вода и го посвещават на Бог, за да гарантират, че Той ще помогне на селяните и ще защити реколтата от градушки, пожари и хали. Човекът, който чупи хляба, трябва да има живи родители, така че в много случаи този ритуал се извършва от момчета и момичета, а не от възрастните. И аз имала честта да разчупвам пита.

Прекадяването на трапезата, хляба и къщата с тамян е широко разпространен обред. Почиства и придава святост на празника. И до днес дори и зад граница почитам този ритуал и използвам тамян, за да пречистя трапезата си по време на специални празници, именни дни или празници и да очиствам дома си от зли сили. Децата ми винаги казват, че къщата мирише на църква.

На Бъдни вечер семейството ми прави кръгъл хляб, наречен Боговица, кръстен на младия Бог. (В древни времена с Млада Бога или Младият Бог са наричали бога на Слънцето. По време на зимното слънцестоене той се преражда и светлината му започна отново да нараства.) След като приключим с вечерята, оставяме всичко на масата. Баба казваше, че Младият Бог и нашите починали роднини идват в къщата да ядат. Продължавам да спазвам тази традиция, надявайки се, че духът на баща ми идва на Коледа да вкусва ястията и виното на трапезата в моя дом. Сигурна съм, че вижда децата ми и се връща щастлив там някъде, в отвъдния свят.

Дори след 30 години пазя живи спомените за него, той не беше само баща, а добър приятел. Баща ми уважаваше бабите и дядовците ми, казвайки, че старите хора трябва винаги да са близо до нас, защото те осигуряват мъдрост през трудни времена.

За обредните хлябове баба ми използваше от най-доброто бяло брашно, което пресяваше три пъти. Слагаше брашното и маята или содата за хляб в нощвите (дървен съд, който прилича на корито) и го смесваше с мълчана вода или прясна вода от извора.

Понякога използваше квас, ферментирала смес от брашно, сол и вода, като тесто за начало. На кваса липсват консерванти и затова брашното трябва да е чисто, чисто от мелницата, без никакви подобрители.

Когато свършваше с месенето, моята баба почистваше нощвите с малка метална шпатула с дълга дръжка. Почистването беше съществена част от месенето; това беше ритуал за нея. На Гергьовден украсяваше дървения съд със здравец, за да даде жизнена сила на хляба и да се увери, че в къщата винаги ще има хляб. Ако котка прескочи нощвите, се вярва, че домакинството ще претърпи голямо нещастие.

Нощвите са се предавали от поколение на поколение. Свекървата на баба ми й беше дала своите нощви. За невестата в миналото е било чест да наследи нощви. Точно като хляба, който се приготвя в нощвите, и този артикул има специално място в българските домове. Днес можете да намерите нощви само в антикварни магазини или по селата, където животът все още е запазен по старите начини.

Хлябът е важен не само в българския начин на живот, но и в други култури и е свързан с изключително интересни традиции и ритуали. Преди години една колежка ми даде амиши хляб за приятелство. Амишите са група хора, която е избрала да живее далече от цивилизацията; обличат се простичко, не ползват електронни уреди и са затворена общност. Този хляб е подобен на квас, това е верижен ритуал. Човекът, който прави кваса, го разделя и го раздава на приятели, те използват кваса и правят свой хляб, който споделят със свои приятели и така този „безкраен" хляб се подържа жив.

В днешно време ние сме толкова привързани към своя телефон и голям телевизионен екран, че е немислимо да отделим 10 дни, за да създадем квас преди печенето на самия хляб. Но мисля, че зад ритуала има много мъдрост. Учи ни на важността на прости неща. Докато поддържаме закваската жива и я предаваме от една къща в друга, тя ни обединява и отразява общото между нас. Това беше може би преди 15 или повече години, когато колежката ми подари найлоновата торбичка със закваската. Тя ме накара да почувствам, че съм равна на всички останали хора, неин приятел и част от страхотен работен екип.

Опитах и вкусна рецепта от моя приятелка от Финландия. Тя е страхотен кулинар и пекар и хлябът не беше разочарование. Наричат сладкия хляб „неса". Когато го направих, приличаше на нашия козунак: пухкав, на конци и с карамелизирана кора. Предполагам, че всяка култура има свое разнообразие от хлябове и ритуали, посветени на хляба. Всички те са създадени, защото нашите предци е трябвало да оцелеят. Те са се молели за здраве и изобилна реколта, добитъкът им да бъде защитен, за да са сигурни, че ще имат достатъчно хляб на масата, за да изхранят семейството си.

Няма нищо по-вкусно от хляба. Той е толкова важен, колкото водата и затова е ценен от всички култури. Българският народ казва, че никой не е по-голям от ХЛЯБА.

Има много други вярвания за хляба и съм сигурна, че всеки кът на България има своите повели и поверия. В къщи ни плашеха, че ако го докоснем с немити ръце, ще ослепеем. Никога не режете хляб; чупете го с две ръце. Никога не слагайте хляб с главата надолу, защото това ще донесе глад и болести. Хлябът е свещен за българите и трябва да се отнасяме към него с уважение.

Глава 14: Лечители на душата

„Стори добро и го хвърли на пътя – рано или късно ще те намери. Стори лошо и го хвърли на пътя – то отново ще се върне на пътя ти".

Неизвестен автор

Не отричам нивото на съвременната медицина. Но преди да посегнем да приемаме антидепресанти и болкоуспокояващи, можем да се опитаме да се излекуваме със смях и дарове от природата. Спомняте ли си лекарствата, които са използвали нашите предци? Много от тези домашни илачи се използват и до наши дни – вече им казваме алтернативна медицина, дарове от природата. Не само в България, но и в САЩ се обръща все по голямо внимание на доброто чисто хранене и емоционалното здраве.

В Щатите фармацевтичната индустрия е голям бизнес: за всяка болка има хапче или две. Но как можете да дадете на дете на 5 г. хапчета за мигрена, за синдром на хиперактивност и дефицит (разсейване) на вниманието или депресия? Когато бях дете и аз бях разсеяна, тъжна, но никога не пих хапчета за това.

Трудно е да си в училище в продължение на осем часа, след това да тренираш балет и футбол и да нямаш време да си дете и да мечтаеш. Ето защо децата в наше време трудно се концентрират, пренатоварени са от различни дейности, без да имат тихо време, посветено за мечти – та именно мечтите и фантазията раждат идеите и прогреса. Трябва да дадем на децата си детство. Чистият въздух, приятелствата, спортът и книгите лекуват и поддържат тялото и душата ни здрави.

В миналото, а дори и сега в България съществуват знахари – хора които използват билки, молитви, ритуали, гадаене и магии за лечение. Те смятат, че за всяка болка има билка. Аз ги наричам народни лечители. Темата е много обширна и интересна и със сигурност заслужава не една глава, а цяла книга. Тези лечители не лекуват само тялото, но и душата. Те дават на хората надежда за по-добро бъдеще, лечебни отвари за тялото и молитва за здраве. Това са хора, от които местните се страхуват и същевременно уважават. Загубили надежда в традиционната медицина, много хора прибягват до помощта на билкари, знахари и гадатели за лекуване на болести или за гонене на страх, стрес и уроки (т. нар. „лоши очи").

Традиционно да станеш лечител е практика, предавана по женската кръвна линия в тесен семеен кръг: от майка на дъщеря, баба на внучка, леля на племенница. Човекът, който иска да стане лечител, трябва да има желание да помага на хората и да вярва в Бога, или да бъде религиозен и свят човек.

В средата на лятото на 24 юни, на Деня на лятото или Еньовден, лечителите и знахарите събират билки преди изгрев слънце. Баба ми казваше, че всяка болест има лек, което се отразява в 77 1/2 билки от българските вярвания, като всяка билка може да лекува конкретна болест. Половината билка е предназначена за всяко неизвестно заболяване.

Всяка лечителка има вълшебна градина, където събира билките преди зори. Баба не беше лечителка, но знаеше как да събира, съхранява и използва билките. Някои използваше за готвене, а други за лекуване. Знаеше как да превърже рана с лист градински чай или живовляк, да лекува разстроен стомах с чай, приготвен от подбран букет ароматни билки.

Жълт кантарион съхнеше на букетчета, накичени по колоните на дървения чардак*. От билките си приготвяше различни чаени смеси, като ароматна мащерка, равнец и липа. Освен това баба смесваше няколко билки, за да направи ароматни подправки като известната шарена сол. Топлият хляб, намазан с масло и поръсен с шарена сол, е апетитна следобедна закуска, придружена с чай от мащерка и пресен мед.

Освен билки знахарите използват заклинания или свещени думи (често наричани молитва) за лечение. Тяхната вяра в Бога им дава сили да се борят с негативната енергия и да лекуват болести, да гонят страх, стрес и зли очи. Това е един вид бяла магия и много

---

* Чардак – висока покрита тераса на къща

хора си мислят, че само вещици или магьосници са способни на подобни дела.

Но знахарите и билкарите не практикуват магия; те се отнасят към душата и тялото с внушение, и лекуват болести, причинени от страх или уроки. Всеки е имал момент в живота си, когато се е уплашил. Баба ми не беше лечителка, но ни лекуваше от уроки с вода и живи въглени. Ако сте гледали холивудския филм комедия „Моята голяма гръцка сватба", сигурно си спомняте сцената в църквата, когато роднините на момичето плюят на булката. Това е широко разпространен, жест на Балканите. Смята се, че защитава хората от уроки (зли очи). Също така те могат да използват амулет, стъклено синьо око, т. нар. „око на Назар". Вярва се, че синеоките хора имат зла сила и могат да ви разболеят и да изсмучат енергията ви.

Преди да излезем накъде майка ми правеше невидим кръст на челото ми казваше: „Който вижда този кръст, може да сложи лошо проклятие на моето дете", Всеки, който може да види невидимия кръст, има способността да ми навреди, но същият този невидим кръст ме предпазва от такива хора. Въпреки това заклинание и червената нишка, зашита в дрехите ми, понякога главата ме болеше от умора – може би от жегата или тълпата от жени около мен, техните прегръдки, целувки и пощипвания по бузите.

В такъв случай баба ми поставяше бърза диагноза, че зли очи са ме омагьосали. Тя взимаше купа с вода и казваше малка молитва. Отваряше металната врата на кухненската печка, вземаше с машата жив въглен отвътре, правеше кръст над глинена купа и пускаше въглена във водата, докато продължаваше да нарежда свещените думи. Ако въгленът направи силен съскащ шум и се разпадне на парчета, значи зли очи са ме проклели. Ако падне на дъното, лошите сили са потънали в костите ми.

След ритуала отпивах от водата и баба измиваше лицето ми. Поставяше букет от билки, кантарион и може би риган под възглавниците ми, за да не сънувам кошмари и злите сили, дракони и змии да си стоят далеч в Змейково (мястото, където живеят всички митични създания).

За съжаление, никога не съм питала баба за свещените думи от този ритуал. Бях в Щатите, когато тя почина на 99 години. Прекара последните си дни с леля ми. Дали е предала знанията си на братовчедите ми и дали са научили от мъдростта й, не знам. Нищо не беше написано в книга или на хартия и в продължение на много години загубихме връзка. Братовчедка ми напусна този свят внезапно, а леля ми я последва след няколко дни. Може би всички те са заедно сега с баща ми.

Когато бях дете, една от братовчедките ми винаги се страхуваше. Поради тази "болест" баба ни заведе в съседно село, за да я види знахар, който е лекувал хората от страх, депресия и неврози с ритуал, наречен "леене на куршум". Това е древен ритуал, жив и широко разпространен и днес в различни райони на България. Ако някой се страхува, изпитва нещо, което му пречи да продължи живота си, трябва да отиде да му се лее куршум първите 40 дни след като се разболял, за да прогони страха и да може да се излекува.

По време на ритуала знахарката рецитира свещени думи, молитвата, предавана през вековете от един член на семейството – от жена на жена. Никой дори не ги пише на хартия. Молитвата е свещена и всеки знахар я пази в тайна, докато не намери своя заместница. Легендите твърдят, че ако някой сподели думите или рецитира молитвите пред когото и да е извън лечебното право, човек ще загуби лечебната си сила.

Очаквах да видя мистична жена като магьосниците от приказките на Братя Грим, но когато вратата се отвори, видяхме усмихната селянка, на възрастта на баба. Покани ни в дома си и ни заведе в кухнята. Печката на дърва бумтеше и стаята се затопли и стана уютна. Братовчедка ми нервно стискаше ръката ми.

За ритуала са необходими само няколко прости неща: олово, метална кутия, печка и глинена купа със студена вода. Думата куршум ни плашеше и двете, но баба каза, че това е просто дума и не е истински куршум. Жената постави братовчедка ми на дървен стол и покри главата й с бяла кърпа.

"Не лъжи! Не мрази хората или съществата! Не кради! " – каза знахарка.

Баба ми каза, че молитвата е към Дева Мария. Ритуалът беше много прост и всеки можеше да го научи и изпълни, но това беше само механичната част; не всеки може да лекува хората, само тези, които са всеотдайни и вярват.

Знахарката взе метална купа с дървена дръжка, сложи парче олово и я постави вътре в печката над горещите въглища, така че оловото да се разтопи.

„Не се страхувай, дете. Ще кажем молитва и ще изгоним злите сили в Черна гора!", увери и тя.

Жената извади металния контейнер от печката, с другата ръка държеше глинената купа със студена вода и я постави над главата на братовчедка ми и изля оловото в студената вода. Горещите метални парчета в студената вода се разпръснаха на фигурки. Знахарката повтори същия жест пред сърцето и коленете на братовчедка ми. Докато изсипваше оловото във водата, тя промърморваше нещо, което не можех да чуя, но свещената молитва помогна да прогони страха.

Тя взе бялата кърпа от главата на братовчедка ми и й даде да отпие три глътки от водата, използвана в ритуала. Вероятно питате: „Защо? Как може да накара някой да пие вода с олово?" Все още хората трябва да смятат ритуала за полезен, тъй като той продължава да се практикува повече от 500 години.

„Да видим какво уплаши детето?" Знахарката разтърси купата и разгледа металните фигурки във водата. „Тук виждам голяма мощна птица. Детето е притеснено за семейството и родителите си, но не е голям страх. Лесно се отстранява и лекува. "

Знахарката наля малко вода в празна бутилка от лимонада и каза на баба ми на път за вкъщи да намери куче и да излее водата върху главата на кучето. Обясни ни, че както кучето се отърси от водата, така и болната ми братовчедка ще се отърве от проблемите си. С останалата вода тя изми лицето на детето.

Поклащайки глава, жената продължи да разглежда оловните парчета. Извади ги от водата, зави ги в бяла кърпа и я подаде на баба ми, като даде изрични указания да сложи кърпата под възглавницата на братовчедка ми и да спи върху фигурите три нощи. След третия ден трябваше да вземем фигурите, да отидем до реката и да ги хвърлим във водата, така че страхът и болестта да изчезнат – да си заминат с течащата вода. Тя каза, че ако баба трябва да върне братовчедка ми, трябва да е в сряда, защото тя лее куршуми само в сряда, петък и неделя.

Вечерта братовчедка ми и аз развързахме кърпата и разгледахме оловните фигури. Една приличаше на котка, друга на птица с широко отворени крила и остри нокти. Очите и бяха насочени към нас. Гръм на тавана ни накара да върнем фигурите обратно в кърпата и от страх се завихме през глава.

На третия ден отидохме до река Мала. Баба накара братовчедка ми да застане с гръб към реката и й каза да хвърли с дясната ръка фигурите в реката, след което да сложи дланта до сърцето си. „Мило дете, кажи какви са твоите притеснения и кажи благодаря на Бога за твоята благословия и изцеление".

Бяхме деца и не разбирахме тези странни ритуали и глупости. Братовчедка ми беше объркана и мълчеше с наведена глава. Баба грабна вързопа и го хвърли в реката. „Боже, моля те, дай добър живот и здраве на болното дете".

„Върви и не гледай назад!" Тя ни хвана за ръце и ни заведе обратно в къщи.

Баба беше дребна жена , но жилава и със силна воля. Ние се подчинихме и я последвахме вкъщи. Беше страдала толкова много и това беше направило кожата й дебела. Живееше прост живот и не мислеше лошо за хората.

Три дни след ритуала братовчедка ми се чувстваше по-добре, чудо или не, и прекарахме прекрасна ваканция на село. Гонехме птици, ловихме риба в реката и хващахме мустакати раци, които се криеха под камъните.

Често мислех за оловните фигури, които бяха на дъното на реката, но никога не смеех да ги потърся, нито се върнах на това място. Реката отнесе болестта и тайната, която моята братовчедка е носила в себе си.

Не съм бил подлагана на леене на куршуми в живота си, но мнозина са изпитали чудотворната сила на този свещен ритуал. Чувала съм от приятели, руснаци, че в Русия има широко разпространена практика, където те използват восък, за да лекуват и извършват предсказания.

Важното е да бъдем мили, да уважаваме хората, да вярваме в чудеса и да имаме силна вяра. Това е нещо, което спомага да се излекува душата, а от там и тялото ни.

Глава 15: Орисия или избор

Всеки има своя орисия или съдба. „Това което е на камък писано, не е написано на главата", казва българска поговорка. Много хора вярват, че съдбата им е предопределена, животът им е предопределен, нещо, което не могат да променят. Затова те избират да следват течението на живота. Безразличен, примирен, чакащ живот. Да не го провокират, да не настроят живота си да върви към мечтите си или в посоката, в която искат.

Други внимателно планират живота си стъпка по стъпка: кога да се оженят, колко деца да имат, кога да си купят къща, къде да градят живота си и кога да се пенсионират. Различни хора, различни съдби. Понякога, колкото и да се опитваме да уредим и променим живота, изглежда той сякаш върви по предварително определен път или, както казват българите, съдба, орисия предопределена от *орисниците*.

Кои са тези мистични създания, орисниците?

В българския фолклор те са представени като три сестри, които посещават дома на новородено през първите часове от появата му на света. Те обикалят креватчето на детето и всяка от тях предсказва бъдещето му. Орисници се появяват в приказки и художествени произведения. Някои изображения показват лицата си, а в други те са безлики сенки, обвити в наметало.

Древните славяни са вярвали, че само майката може да чуе желанията на тези орисници. Ако се осмели да сподели чутото, тя може да загуби гласа си.

Фолклорните ритуали за благополучие, късмет и здраве надхвърлят вярванията за орисниците. Тези понятия са вплетени в живота на нашите предци от векове. Ритуалите и традициите на българите са като душата им, изпълнени с надежда за добро бъдеще и просперитет. Съществуват много ритуали, някои датират от траките, други пък са създадени по време на турското робство, за да защитят семейните традиции.

Обредният хляб играе важна роля в тези традиции. Например, на Бъдни Вечер ние поставяме късметчета в ритуалната питка. Приготвяме същия вид обреден хляб за новороденото и ритуалът трябва да предскаже житейският му път. Поне това е идеята, кодирана в ритуала.

Според баба ми първата орисница е най-стара и предрича смърт; втората – болести и нещастия, които ще съпътстват човек през живота; и третата, най-младата – късмета на човека. Третата винаги се опитва да завърти колелото на късмета в положителна посока. Баба ме заведе на няколко събирания, където наблюдавах група жени, които обикалят бебешкото креватче и нареждат и наричат своите дарове и пожелания.

В моите очи това беше магически ритуал, който ми напомняше за Пепеляшка. Не бях сигурна коя е лошата фея, тъй като всички се усмихваха, прекарваха добре, разговаряха си и хапваха сладкиши. Винаги чаках вратата да се отвори с гръм и да видя как една стара грозна жена, забулена с лилаво наметало и кокалеста ръка поднася лошо заклинание върху новороденото. Но никой не беше лош; всички бяха мили с бебето и с мене, раздаваха ми сладки и ме щипеха по бузите с усмивка. "Тя е пораснала много, да не са й уроки"…

За да направят орисниците по-милостиви в своите предсказания, българите вярват, че трябва да ги подкупят с храна и пари. Това е причината, след като бебето се роди в стаята майката трябва да остави на масата съд с мед и златна монета, увита в бяла носна кърпа, под възглавницата. Това ще направи орисниците щастливи, когато посещават бебето през нощта, и те ще са щедри в своите пожелания и дарове за бебето.

Когато бях дете и посещавах новородени с майка ми, освен монета, тя ме караше да оставя конец от дрехите си, за да сме сигурни, че бебето ще спи добре. Също така семействата поставят червен конец на прага на дома, за да пазят злите духове далеч от новороденото.

По принцип след раждането и майката, и бебето трябва да останат вкъщи 40 дни, за да се предпазят от злите сили навън. В миналото майката също не е можело да посещава църква, тъй като е била смятана за „нечиста".

Когато пристигнах в Щатите, първата ми работа беше сервитьорка. Бях безмълвна, когато за първи път видях бебе, може би на по-малко от седмица, майката го носеше в малка кошничка. Хората подминаваха и правеха комплименти към малкия ангел. Бебето не отвори очи; светът беше нов за малкото създание.

Тогава не осъзнавах колко много са различните вярвания и обичаи между моята родна страна и моята страна осиновителка. Не бях свикнала всичко да е толкова динамично. Никога не съм очаквала жена да роди и да се върне на работа след една седмица. Днес дори сред българите тук, в чужбина, кой ли има време да следва всички тези стари канони?

По тези причини майките в днешно време нямат време да създадат връзка с детето си, преди да го оставят на грижите за някой друг в продължение на 8 часа всеки ден. Това е загубено време, през което може да се насладите на майчинството. Имах късмет и успях да бъда с децата си, когато бяха малки. Трябваше да работя на непълно работно време, но имах възможност да бъда с тях и да ги гледам как растат.

Децата ми са родени в България и майка ми ми помагаше през първите 45 дни след всяко раждане. Тя не спазваше всички канони, но искаше да е сигурна, че се придържам към някои. Не трябваше да оставям бебешките дрехи навън на простора след залез слънце. Трябваше да къпем бебето във ваничка всеки ден в определено време и да му правим масаж с масла. Противопоставих се на идеята да ползваме мас и сол. По онова време Кореком-ът* беше зареден с всички бебешки продукти.

Беше м. март, когато се роди най-голямата ми дъщеря, така че не беше толкова топло. Майка ми я увисваше с няколко слоя пелени като пашкулче. Казваше, че е важно за да израсне висока и ще има стройна фигура. Страхувах се, че няма да може да диша и да спи с толкова много слоеве платове. Това беше ритуал, който повтаряхме всеки ден в продължение на 40 дни.

Времената са се променили и старите канони вече не са живи. Новите поколения използват помпи, за да изцеждат кърма и да я държат в хладилника, за да може бавачката или съпругът да хранят бебето. Разбирам, че е трудно да се правят нещата по стария начин в този забързан свят, но мисля, че сме загубили нещо, като не спазваме някои от обичаите. Те са установени по напълно разбираема причина: детето и майката са слаби през първите седмици след появата на малкото – жената има нужда от време, за да се възстанови от процеса на раждане, а на бебето му е

---

* Кореком (съкр. от фр.: Co(mptoir de) re(présentation et de) comm(erce) – Дирекция за представителство и търговия) е компания в София с верига от безмитни магазини, работещи със свободно конвертируема чужда валута в България от 60-те до 90-те години на миналия век

необходимо време за изграждане на имунитет срещу микробите в човешкия свят. Също така е важно да се свържат. Бебето е чуждо на майката, като извънземно, особено ако е първото й дете. Необходимо е време, за да се разбере какво харесват бебето, какво означават различните му видове плач. Гладно ли е? Мъчат ли го колики? Напишкало ли се е? Когато обаче се усмихне, усещате, че светът е друг.

Някога, а и днес, ако спазвате традициите, 40 дни след раждането майката отива в църква, за да бъде пречистена, за да може да влезе обратно в света. След като тази забрана приключи, следващият ритуал се нарича „разчупване на погача". Това е повод да отпразнуваме раждането на детето, където неговите роднини – само жени! – му пожелават късмет и здраве.

Приятелките на майката и близките роднини на бебето са съвременната версия на орисниците. По време на посещението си те отправят своите пожелания и поздрави. Носят сладки неща, като торти и шоколадови бонбони, за да направят живота на бебето сладък, и му даряват подаръци, които обещават да му донесат изобилие.

Ето някои общи поздрави, които можете да чуете на такива събирания, но всеки човек може да създаде свои собствени такива, за да е сигурен, че бебето ще бъде благословено в живота.

Бъди твърд като гранит,
бъди силен, вокален,
бъди весел и щастлив,
бъди много трудолюбив.

Златно момиче със златно сърце,
Златно момиче със златни ръце,
Златно момиче със златна коса
Златно момиче със златни мечти.

Всяка майка иска детето й да е здраво, щастливо и да има късмет в живота. Празникът с погачата е желанието на майката да събере положителна енергия около детето, за да се увери, че животът му е благоденстващ и ще продължи наследството на семейството.

Както в повечето български ритуали, най-важната част е хлябът, свещеният ритуален елемент, присъстващ на трапезата за сватби, кръщения, годежи и погребения. Хлябът трябва да се прави с помощта на чисто бяло брашно и трябва да е малко сладък. Погачата трябва да бъде направена от самата майка или от близък роднина, жена, която има живи родител. Тъй като празникът е за сладък живот, на трапезата трябва да има традиционни сладки: халва, локум и мед. Подобно на хляба, медът е не само важен хранителен продукт, но и се използва за лекуване и ритуали от векове. Освен тези задължителни елементи на ритуалната трапеза се поставят вино и други сладкиши: бисквитки, торти, печени вкусотии. Празник на сладостта!

Гостите са само жени. Когато пристигнат, обичаят повелява да подарят на бебето подарък и кутия шоколадови бонбони. Гостите слагат монети върху бяла копринена или памучна кърпа, която покрива обредния кръгъл хляб и пожелават на новороденото да расте здраво и щастливо.

След пристигането на всички гости майката сяда на стол и взима детето в ръце. Сцената е вълшебна. Представете си снимка на старите майстори, Мадона с надежда и щастливо лице и малкият ангел в ръце, сякаш тя е готова да защитава детето си през целия му живот и да направи съдбата му добра на всяка цена. Безусловна майчина любов.

По традиция две неомъжени момичета, които имат двама живи родители, трябва да разчупят ритуалния хляб на две парчета над главата на майката. Първото парче се нарича за Богородица „Това е за Богородица". Тя ще защитава и ръководи бебето в неговия жизнен път и растеж. За второто парче те казват: „Това е за детето". Неговата благословия е да бъде богат, сит и здрав.

След това слагат хляба на масата и всеки откъсва парче. Орисниците го потапят в мед и го изяждат, така че животът на детето да бъде сладък и успешен. Ако трохите, които падат, са малки, следващото дете ще бъде момиче. Ако са по-големи парченца, тогава ще е момче.

Майката връзва бялата кърпа и я дава на най-старата жена и й казва да пожелае нещо на детето и след това да я предаде на жената до себе си. Вързопът с монети преминава от ръка на ръка, докато отново не стигне до майката, която също произнася пожеланията си за детето. И поставя вързопа с монети високо в дома, на рафт, така че детето да расте към успех и духовна чистота.

„Къде е хвърлен пъпът?" е популярна поговорка в България както в миналото, така и в днешно време. Младите майки, които искат да повлияят и определят добра съдба за детето си, изпълняват този ритуал и създават нови вариации. Вярва се, че ако поставите пъпчето в градината и посадите дърво върху него, детето ще расте силно и ще има силата на дървото. Освен това създава котва и свързва детето с корените му. Други майки го държат в къщата, за да държат детето близо до тях. Чувала съм, че родителите държат пъпчето в книга или го „хвърлят" в училище или университет, така че детето да стане учен.

Четох, че индианските племена Наваро "погребват" пъпната връв на новороденото, запечатвайки връзката им със земята. В Африка, когато бебето е мъртвородено, погребват пъпната рана заедно с детето, за да запазят духа на бебето в покой.

През последните години четох статии, където хората запазват пъпчето за бъдеща медицинска употреба. Според последните проучвания е доказано, че кръвта от пъпната връв съдържа стволови клетки, които могат да се използват при животоспасяващи трансплантации на стволови клетки за деца и възрастни.

Интересното е, че аз спазих традицията да оставя пъпчето някъде, след като децата се родиха. Когато имате първо дете, всичко е вълнуващо и ново. Учите се и имате големи надежди и желания вашето дете да благоуспее.

Аз съм скитник по душа, пътник. Вуйчо ми се съгласи на едно от пътуванията си до Швейцария да го вземе и да го остави в банка. Според мен това беше страната и мястото, което ще й осигури успех и стабилност. За съжаление, пъпът на по-малката ми дъщеря се изгуби и остана в бившата Правителствена болницата, където тя се роди. Това е в ръцете на съдбата, може би затова тя пое по пътя на медицината. Съдба или случайност?

И двете учат и работят усилено, изграждат живота си и определят съдбата си всеки ден. Родителите дават възможност на децата си да се развиват. Децата сами трябва да определят собствената си съдба и професионален път.

Ритуалът със сладкия хляб е само началото на поредица от ритуали, които да призоват късмет и здраве. Дете, което казва първата си дума и прави първата си стъпка, са важни и запомнящи се моменти за родителите и близките, не само за българите, но и за всички родители. За българите това е още една причина да предизвикат съдбата и да я отклонят по предварително определен път. Този път няма Орисници, но именно хлябът води детето в зората на живота му. Ритуалът се нарича Прощъпулник и се извършва след като детето е направило първите си стъпки. Отново хлябът е центърът на тържеството. Трябва да е кръгла питка без украса. Тя трябва да бъде направена и изпечена от жена с живи родители, за да се предпази детето от злите сили.

В някои райони на страната семейството поставя хляба на стол или малка кръгла маса и разхвърля предмети върху него върху бяла кърпа. Аз съм от Северна България. Там майката търкаля хляба върху бяла платнена кърпа, покрита с предмети. Всеки предмет има определено значение. След като хлябът се търколи, детето стъпва по бялата кърпа след хляба и си избира предмет. Каквото избере предвещава каква ще бъде неговата професия. Ако детето вземе гребен, ще стане фризьор; ако вземе книга – учител; четка – художник, и т. н. В миналото предметите бяха прости: черпак, вретено, ножица, книга, стетоскоп и др., за да предскажат професията или призива на детето. В наши дни родителите избират и използват предмети от съвременния начин на живот.

След това майката разчупва хляба и го раздава на гостите. В миналото обичаят е изисквал майката да тича до три съседни семейства с парчетата хляб. Докато тича, се старае да не се спъне, за да не се препъва детето в живота. Но това вече не се практикува, особено тук, в чужбина, където често не познаваме съседите си, въпреки че живеем до тях години наред. Представям си как съседната г-ца Андерсън ще ме гледа, ако й дам парче хляб, потопен в мед, и й кажа, че трябва да го изяде, за да съм сигурна, че дъщеря ми ще стане хирург.

Тези обичаи се практикуват от древни времена, предават се от майка на дъщеря, с идеята да се запазят семейните традиции и да се определи по-добър живот на нашите деца.

Човечеството от древни векове се опитва да формира и определи своето бъдеще, да види или да предскаже какво ще се случи. Но бъдещето ни е повторение на миналото ни. Определен ли е животът ни, както казва българската поговорка: това, което е написано на камък, ще се случи. Можем ли да променим съдбата си?

Глава 16: Кльощавите лалета

„Да рисуваш означава да обичаш отново" –
Хенри Милър

Мълчанието се прекъсва от драскането на моливи, скърцането на гуми и меките стъпки на дама, която обикаля масите, наблюдавайки всеки ученик. Задържам дъх, поглеждам цветния букет от лалета в предната част на стаята. Слънцето блести и се отразява върху капчиците вода по стъкления буркан.

Никога не съм си мислила, че ще бъда допусната до престижните изпити за художествено училище в София. Аз, момиче от село, израснало в семейство на хора, които смятат, че плакатът с картина. Но в живота, ако не се опитате, никога няма да разберете дали ще успеете или не.

Онази сутрин, когато излязох от къщи, майка ми разля кофа вода пред мен за късмет. Баща ми ме прегърна и ме изпрати с горд поглед на лицето. Бързах, бях нервна и не му казах нищо. Той беше човек с много таланти и най-вече способност да оцени живота. Ако знаех, че ще го загубя след няколко месеца, щях да прекарам повече време с него и оценя добротата му. Животът има свой начин да ни изненадва. Дори ако внимателно планираме всяка наша стъпка, понякога е трудно да спечелим или да знаем кой път или действие да предприемем, докато не стане твърде късно.

Този ден единственият път, за който можех да мисля, беше изкарването на изпита по рисуване. Това беше шансът ми да покажа какво мога.

Слязох от трамвая на "Попа" където ме посрещна паметникът на патриарх Евтимий. Придържайки здраво папката под мишница и няколко моливчета, се насочих към сградата на Художественото училище. Повечето от кандидатите, които бяха тук, за да положат изпита, произхождаха от интелектуални семейства на известни художници. Бяха пристигнали с учители, родители и поддръжници и застанаха настрана, далеч от мен.

Бях нервна и се чувствах като черна овца, извън моята лига. Нямах обучение и ресурси като другите ученици, нито бях вземала уроци по рисуване като тях, но участвах в международните асамблеи „Знаме на мира", печелех награди и това ми вдъхна малко увереност, защото само талантливи деца бяха избрани да участват. Рисувах когато мога и имах време, но местенето от едно училище в друго заради моите здравословни проблеми ми пречеше да намеря учител и да се подготвя.

Докато се изкачвах по тясното, тъмно стълбище към изпитната зала, ме обгърна миризмата на маслени бои. Имах чувството, че влизам в храм на изкуството. Стаята беше празна, но аз заех моето място, подредих моливите и зачаках. Изпитът беше да нарисуваме лалетата в стъкления буркан в предната част на стаята.

Часовникът на стената в изпитната зала отмерваше секундите, минутите. Изпотих се под парещите лъчи на слънцето. Исках да демонстрирам таланта и страстта си, но ръката ми се почувства парализирана.

Момичето до мен погледна рисунката ми и разтърси русите си къдрици с жална усмивка. Огледах се безпомощно. Всички бяха съсредоточени, измервайки пропорциите на цветята с моливи, улавяйки сенките и работейки върху картините си с обучени, измерени щрихи. Чудех се дали да не си тръгна. Не, бях там, трябваше да остана и да покажа какво мога. Не исках да се отказвам толкова лесно. Огледах се отново. Не, не всички бяха съсредоточени. Момчето от първия ред взе чаша вода и изпи един валиум. Момичето до него отвори кутия със скъпи моливи и разгледа красивите си маникюри; подостряше молив след молив, оглеждайки се, за да види дали някой й обръща внимание. Опитах се да игнорирам какво правят другите, припомняйки си съветите на един от моите учители: „Рисувай това, което виждаш. Не гледай другите. Всеки вижда света по различен начин. Не копирай никого. Бъди себе си, дори ако ти е трудно! "

Ръцете ми трепереха. Опитах се да схвана обема, перспективата, формата, но всичко се променяше. Лалетата, които бяха пъпки в началото на изпита, сега бяха в пълен разцвет, танцувайки под топлите лъчи на слънцето.

„Бъди себе си. Това е твоят мироглед". Повторих думите мислено за смелост.

Часовникът удари обяд и изпитът свърши. Погледнах кльощавите си лалета и ги сравних с тези, които нарисува момичето до мен. Нейните бяха уверени и живи; линиите, светлините, сенките показаха финес. Перфектна композиция.

Погледнах рисунката си и видях градинските лалета на баба ми: луди, хилави, несъвършени, обагрени от слънцето, обрулени от балканския вятър. Изкуството не е само в това как контролирате ръцете си, за да рисувате щрихите; за да бъдеш добър човек на изкуството, трябва да умееш да говориш с публиката. Ако вашето изкуство създава емоции, пренася човека, който наблюдава картината, в различен свят или връща спомени, щастливи или тъжни, тогава можете да се наречете художник.

Дори днес, когато посещавам България и минавам покрай старата сграда на Художествената гимназия, се сещам за букета си от кльощави лалета. За съжаление, не ми достигнаха няколко точки от оценката на изпита и не бях приета в училището. Независимо от това, това беше опит, който остави отпечатък в живота ми. Научи ме, че да имаш дар или талант не е достатъчно. Трябва да работиш усърдно, да тренираш ума и ръката си, ако искаш да бъдеш добър. Това важи не само за изкуството, но и за всяка професия. Също така почувствах, че нямам необходимите ресурси и опит, за да успея в изкуството. Тогава всичко се оправяше с "връзки", хората, които познавате, вашето обкръжение. Може би съм бъркала, но точно това си мислех по онова време.

Дори и да не успеете, това не означава провал. Животът ми протече по различен път. Открих красотата на дървото, когато по-късно бях приета в училище да уча дърворезба. Отново бях заобиколена от деца на известни поети, художници и хора с пари, които да плащаха много за уроци по изкуство. Това беше вторият ми шанс и се оказах една от талантливите в групата. Открих душата на дървото и създавах творби, моделирайки мечтите си.

Имах възможността да се запозная с интересни и талантливи хора и да създам нови приятелства. Бяхме група от млади, луди, талантливи хора, лутащи се и търсещи себе си. Всички имахме идеи и мечтаехме какво ще правим. Поради промените в България и други събития, ние се пръснахме в различни посоки по света и никога повече не се намерихме. Бих се радвала да се срещна отново с мои училищни приятели и познати, да научим историята на всеки от нас. Чудя се какви други глави са написали съучениците ми в живота, къде са отишли всички и какво са постигнали.

Бях в училище, когато баща ми почина. Светът ми се срина, нещо избухна вътре в мен и животът ми се промени.

Някои хора се справят добре със загубата. Аз не съм от тях. Бях толкова разстроена и тъжна и това се отрази на моята училищна и художествена кариера. След дипломирането си не успях да намеря работа в тази област. Тогава това беше мъжка професия. Така тихичко си намерих работа, с която да се издържам финансово.

Желанието ми да творя никога не отшумя. Това е като стара любов; остава при теб. Сега, на средата на жизнения ми път, въпреки че е късно в живота, искам да започна отново. Мога да го направя, знам. Все още имам талант и творческият пламък, заровен в мен.

Когато не можем да изпълним мечтата си, тя остава завинаги в нас като семе, което чака подходящия момент да порасне и да поникне. Минаха години и животът ме отведе в далечни страни, но тази любов и желание да творя пътува заедно с мен. Скрита някъде дълбоко в мен. Улавям всеки момент, всеки предмет и спомен около мен. Жизненият опит, препятствията и любовта са най-добрият начин художник, писател, всеки творец да открие себе си.

Бях болнаво дете и пътувах от училище на училище в цяла България. За някои това ще звучи тъжно. Беше ми тъжно и трудно, защото ми липсваше майчината любов и семейното огнище. От друга страна, това беше възможност да открия много места в България, да се запозная с интересни хора, с техните обичаи и култура. България е малка страна, но културата й е като пъстър килим. Всеки регион има своите прелести, история, диалекти, танци и фолклор. Навсякъде. Хората са еднакви; те обичат да споделят трапезата си с вас; дават ви най-добрия хляб, храна, вино и ракия; и ви посрещат и уважават. В замяна очакват нашето уважение и проста благодарност, нищо повече.

След като се откъснете от дома си, ставате скитник, бродите и откривате всичко в света около вас. Напуснах дома си като малко дете и моят опит, пътуванията и срещите ми с различни хора и култури са това, което ме оформи като човек, художник и писател. Тези преживявания се отразяват в моето изкуство: то е живо, колоритно и разнообразно, понякога носталгично, вдъхновено от корените ми, но винаги изненадващо и изпълнено с въображение.

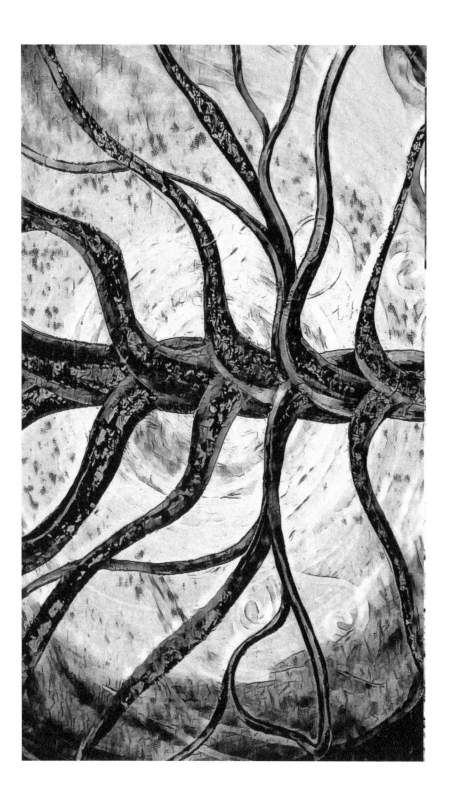

Глава 17: Душата на едно дърво

Замисляли ли сте се дали дърветата имат душа?

Ако застанете в сянката на дървото, опитайте се да се притиснете към кората му, за да почувствате как сърцето му да пулсира, а листата му шумолят като шепот. Представете си едно вековно дърво, което пада на земята. Тътенът се чува на стотици метри. Подобно на победен гигант след дълга и тежка битка, тялото на дървото се отпуска на земята. Въпреки че самото дърво е унищожено, от корените му се появяват нови издънки с разперени клони, стремящи се към слънцето. Дървото продължава да расте, докато корените му не бъдат извлечени от земята.

Като дете си представях всяко дърво като личност. Старият орех беше старче с бяла брада и набръчкано сухо лице; крушата беше прегърната баба с протегнати ръце; дюлята приличаше на червенобузеста усмихната леля; върбата танцуваше като балерина под звуците на вятъра.

Дърветата са навсякъде около нас. Те са белите дробове на планетата, естествен филтър на въздуха, белите дробове на планетата. През лятото ни осигуряват сянка от парещите лъчи на слънцето. Наслаждаваме се на цветовете им през пролетта и на красивите им багри през есента. През зимата се наслаждаваме на топлината им в камината. Използваме дървен материал за изграждане на къщи, училища, църкви, иконостаси, изкуство и други предмети, използвани в ежедневието.

В Щатите законите защитават природата, като се гарантира, че нашите дървета и гори няма да бъдат заличени, а съхранени за поколенията. Не можем да спрем горите да бъдат унищожавани заради дървесината им, но законът защитава парковете и природните резервати.

Когато преди двадесет години пристигнахме в САЩ, самолетът кацна в Бостън. Беше късно вечерта и по пътя към дома на нашите приятели, които щяха да ни подслонят за първите няколко дни, видяхме само светлини и силуети. На следващата сутрин смехът на най-голямата ми дъщеря ме събуди. Тя стоеше по пижама до прозореца, сочейки отвън с широко отворени очи. Когато погледнах, останах безмълвна. Няколко сиви катерици скачаха от клон до клон в короната на огромно дърво, покрито със златни, оранжеви и червени листа, като палитрата на художник. Някои от листата бяха паднали върху зелен килим от добре окосена трева. Зеленина, дървета, слънце. Хипнотизирана, излязох боса и усетих мекотата на тревата, студенината от капките роса. Дъщерите ми ме последваха и след миг и трите бяхме на тревата, покрита с есенни багри. Почувствах се като дете.

Сънувах ли? Чувствах се сюрреалистично. Това беше преживяване, което никога няма да забравя. Първата ми среща с природата в американско предградие. Бяхме в град, един от многото близо до Бостън, с чисти улици, зелени тревни площи, храсти и дървета. Да, както го виждахме в холивудските филми. Но не приличаше на град. Това беше по-скоро като живот в отдалечена хижа на върха на планина.

След двадесет години в Щатите зеленината, катеричките, елените и дърветата в двора и около къщите са нормално нещо от всекидневието. От време на време срещаме и някоя заблудена мечка, но това е нейният дом. Големи дъбове обграждат къщата ни и осигуряват сянка през лятото и защита от прохладните ветрове през зимата. През есента листата падат и ние се оплакваме, че трябва да ги събираме в чували, но работата навън ни помага да се доближим до природата и ни раздвижва.

Обичам шепота на върбите. Засадихме две красиви плачещи върби една до друга, като две сестри, напомняйки ми за моите деца. Вярвате или не, аз ги отгледах от две малки издънки, които отрязах от дървото на училищната автобусна спирка на моите момичета. Дърветата са на повече от двадесет години, растат пред очите ни по същия начин, както нашите деца.

Засадихме и ела и всяка Коледа я украсявам с лампички. Дядо Коледа оставяше подаръци там през нощта на Коледа година след година. Елхата вече е голяма и всяка игличка по клоните е записала нашите красиви спомени.

В България дядо ми е инвестирал парите си в земя и гори. След 1941 г. комунистическата партия конфискува всичките му имения и унищожи горите без негово разрешение. Разделянето на горите все още е гореща тема и хората продължават да се убиват за собственост. За съжаление, унищожаването на горите в България продължава и днес, без да се засаждат нови, които да ги заменят.

Всичко в природата си има своето място. Унищожаването на горите засяга не само пчелите, птиците и всичките му обитатели, но и водите. Мрежата от корени на дърветата защитава речни брегове като натурални диги. Не е чудно, че наводненията и кални свлачища затрупват къщи и хора, когато всички дървета по устието на реките са отсечени.

Преди години в София алеи с кестеновите дървета покриваха средата на улиците и парковете. Ароматът на бели цветове изпълваше столицата, а зеленината охлажда асфалта от парещите лъчи на лятното слънце. Златните листа покриваха улиците през есента. С годините градът се разрасна, броят на колите се увеличи, улиците се разшириха, а кестените изгубиха борбата с асфалта. Последният път, когато посетих майка ми, чух, че болестта и дребните паразити заплашват да унищожат оцелелите кестени. И други дървета също могат да бъдат съсипани, ако болестта продължи да се разпространява, а никой не се интересува от зелените площи на града. Асфалтът, колите и прахът покриват тесните улички, вместо красотата на дърветата.

Казват, че ти трябва цяло село, за да отгледаш дете, но същото може да се каже и за дърво. Трудно е да отглеждаш дърво. То е като човек. Трябва да намери правилното място и правилната почва, за да расте здраво и щастливо.

Прочетох статия за палмите в Еквадор, които се движат, за да намерят светлина, вода и добра почва. Те отглеждат нови корени, които достигат до водата и оставят старите да умрат, което им позволява да се движат и да достигнат до добра почва и светлина. Интересно, нали? Това е като хората. Търсим по-добър живот и поминък и затова пътуваме, скитаме от място на място.

За съжаление, унищожаването на горите не е явление само в България; случва се по цял свят. Радвам се, когато видя новини за хора, които засаждат дървета, опитвайки се да възстановят унищоженото съкровище и да помогнат на планетата да диша.

Най-разпространеният митичен символ на Вселената е „Световното дърво". Неговите отделни части символизират трите слоя на света. Короната символизира небето – Бог, светиите и ангелите живеят там. Стъблото представлява земния живот, а корените – подземния свят.–Почти всички древни народи са почитали дървото – реално или идеализирано. Според древните религии дърветата са живи същества; те са обитавани от духовете на природата, нимфите и елфите. Всяко дърво има своя душа. И всяко дърво има своя собственик или дракон (змей). Дървото е изтъкано като мотив в българските килими, бродерии и сватбени ритуали.

Свещените места в селата в България се наричат *оброк*, обикновено се намират под клоните на вековни дървета, близо до извори; места, където се събира цялото село, за да празнува, да извършват жертвоприношения и да почитат душата на дървото. Вековните дървета и оброците изискват специална почит – както параклисите, църквите и манастирите. Хората вярват, че молитва, отправена към дървото и неговият стопанин ще пазят селото в безопасност от зли сили и ще донесат плодородие и благоуспяване на земята и хората. Обикновено на тези свещени места виждаме каменни плочи или каменни кръстове. Понякога хората пробиват дупки в дървото, наливат масло и покриват дупката с восък, за да нахранят духовете.

В селото на баба и дядо има няколко стари оброка. Един от тях е за Свети Георги. Това е в най-високата и красива част на селото. Неслучайно и Църквата е построена близо до оброка в началото на XX век. И двете са места, където хората могат да отдадат уважение на светеца.

По българска традиция тези свещени места са създавани под дъб, бук, клен, орех и бор и други вековни дървета. Митологията на хората от планината запазва предхристиянските вярвания, според които светът е голямо дъбово дърво. Изображението на дъб и орел на върха е прототип на Световното дърво и се намира в легенди, приказки и разкази и в традиционни песни на хората от Северна България, откъдето са моите предци. Този образ се среща и върху дърворезби и иконостаси в църквите. Смята се, че тези орли са пазители срещу градушката и защитават нивата от пожари и Ламята. Дъбът е и пътят между горната и долната земя, нашия свят и подземния свят.

Традицията е забранявала строго на хората дори да чупят клоните на свещените дървета. Старите вярват, че ако отсечете такова дърво, вие и вашето семейство ще бъдете проклънати и ще се разболеете и ще умрете, защото в него седи светец.

Звучи нелепо, но мисля, че баща ми, който напусна този свят внезапно в ранна възраст, може би е нарушил това правило и е заплати с живота си. Той се грижеше за семейството ни, работеше много, и построи не само една, а няколко къщи. Домът на майка му беше разрушен от комунистите и той реши, че ще построи нова къща за нея. Избра мястото, но стар орех извисяваше клони и гордо седеше близо до основата, пречейки на изграждането на дома. На 9 септември баща ми реши да го отсече. Не помня годината. Мисля, че беше 1981 или 1982 г., но съм сигурна, че беше 9 септември.

Как си спомням датата? На 9 септември всяка година в центъра на селото имаше музика в чест на годишнината на Комунистическата партия. Дървото беше на няколко метра от площада, а кметът дойде лично, за да спре рязането на дървото, защото шумът пречеше на празника. Баща ми не му обърна внимание и след няколко часа старият гигант се строполи на земята.

Баща ми използва ореховото дърво, за да направи прозорци, врати и други елементи за новата къща. Дъските имаха уникални шарки и цветове. Поради тези характеристики на ореха, иконостасите в църквите са правени от орех. Баща ми продължи строежа на къщата, но след две години издъхна внезапно – на 50-ия си рожден ден, не успявайки да види завършения дом за баба. Все си мисля, че светецът или духът, който живееше в ореховото дърво, взе духа му със себе си. Душата на стария орех е вградена в къщата и всеки път, когато отида там, мога да го усетя.

Ако дърветата имаха глас, помислете колко биха могли да ни разкажат: какво са видели и чули през стотиците години от живота си. В Люти Дол в България, селото на баба ми, има извор, наречен

Бивола. Наблизо имаше стара върба, за която хората казваха, че е на повече от 500 години. Винаги съм се чудила какво е видяло дървото през тези 500 години. Покрай извора е минавал старият път към София. Може би дървото е видяло възхода и падението на турците, редици от хора, оковани във вериги, обезумели хора, които се втурват да се крият, за да спасят живота си по време на войните.

Злато и съкровище, събрано от потта и нещастието на хората, някога са били пренасяни по този път. Може би дървото е видяло немски и руски войници през 1944 г. Всеки път, когато бях там и посещавах извора, докосвах ствола на дървото с надеждата да чуя гласа му, историята му.

В селото има стара легенда от 1765 г., жителите му я предават от уста на уста. Една лятна сутрин група младежи, които ловували в гората, видели непозната жена на един от хълмовете около селото. Тя имала ужасно грозно лице, костеливо тяло и дълга рошава коса. Жената изтеглила голям лък и със злоба започнала да изпраща пламтящи стрели към селото. Всички млади хора, които са живеели там, били поразени от страшна болест. Старците в селото се събрали и се чудели какво е това проклятие и как да спасят хората, но било твърде късно. Един от старейшините им казал, че това е Мора, ужасната чума. Болестта се разпростирала като пожар и унищожила почти цялото село. Страхът, плачът и миризмата на смърт преминали през празните улици. Хората, които избягали от селото, били застигнати от стрелите на болестта, а стотици тела покрили околните поляни и гори край селото. Не много хора са оцелели от чумата, но тези, които са успели да се възстановят, нарекли местността „Мъртви поляни" – като напомняне за събитието и загиналите хора.

Всеки вярва в нещо, което носи надежда и мир в душата. От хилядолетия хората вярват в митични същества, божества и свети дървета; други вярват в силата на кристалите. Всичко това ни помага да не се страхуваме от несигурността на живота и да се опитаме да предскажем хода на събитията в нашия живот. Нашият живот е като глава на книга, която няма край. Всеки пише своята глава, за да остави следа след себе си.

Винаги съм искала да имам способността да говоря с дърветата. Знам, че можем да научим толкова много от тях.

Глава 18: Портичката – кафе, цигара и капка вино

В памет на баща ми

Небето се разтвори и проливен дъжд отнесе къщи, огради, плевни и гробове в реката. Сълзите ми се сливаха с пороя, ден и нощ, нощ и ден, скръбта като горещи въглища изгаряха душата ми, докато очите ми не пресъхнаха от мъка. В деня, когато баща ми умря, нещо избухна вътре в мен.

Всичко и всички около мен ми напомняха за татко, празнотата, която оставяше, зейнала като черна яма. Мама и баба се въртяха из къщата, криейки болката си. Брат ми тайно страдаше по свой начин. Той не плачеше, но виждах болката в очите и емоционалния му шок. Стоеше в ъгъла със свити рамене и не говореше, ръцете му висяха отстрани безпомощно.

Баба ме погали по главата. „Не се тревожи, дете мое, и не плачи Не е добре да плачем за мъртвите. Баща ти ще отиде на добро място. Време му беше да си тръгне. Господ го обича и има нужда от талантливи хора, които да са наоколо и да му помагат".

„Бабо, как може да обичаш някого, когато ти отнема онези, които обичаш?" Сърцето ми туптеше безспир. Бях загубила баща и приятел.

Ако не познавахте баба ми, щяхте да си помислите, че тя не ни обича. Лицето й беше като камък отвън, но вътре държеше любовта заключена душата си, скрита зад телена ограда. Розите цъфтяха там, но беше трудно да ги докоснеш. Това я поддържаше силна. Тя загуби татко, рано изпрати дядо ми в Отвъдния свят, загубила е родителите си, когато е била малко дете. Но имаше много любов в своето сърце, която тя ни показваше по свой си начин.

Когато баща ми си отиде, ние мълчаливо го изпратихме във вечния му живот на хълма до църквата и го положихме в гроб до баща му. Няколко седмици по-късно още някой в селото почина.

Баба ми мълчаливо направи пакетче, което завърза в бяла памучна бохча*. Вътре имаше печен хляб, сирене, буркан с мед. Беше м. май и в градината имаше рози, невен и здравец; тя направи пъстро букетче и го завърза го с червен конец. Извади кутия локум от долапа и го пъхна в бохчата, намести черната кърпа на главата си и припна към стълбите.

"Бабо, къде отиваш с тези цветя?", Втурнах се след нея, мислейки, че мъката замъглява съзнанието й.

Тя каза, че отива да го „изкупи обратно", имаше предвид баща ми. Чудех се какво може да купи, за да го върне. Когато я попитах какво има предвид, баба ми каза сериозно: „Той седи на гробищната порта и я пази".

"Баба, какво пази?"

„Той е пазителят на портата сега и чака следващия човек, който умре, да дойде на неговото мястото. Тогава баща ти може да продължи пътя си към вечния си дом".

Отново се разплаках, представяйки си баща си сам на прага, под дъжда, мокър и студен. Още от детството въображението ми беше богато. Защо баба трябваше да го „откупува", като носи подаръци на семейството на непознат човек? Защо трябваше да моли починалия човек да заеме мястото на баща ми, който пази портата, за да може баща ми да продължи своя път? В моите очи баща ми беше светец, уважаван и обичан и със сигурност вече беше на небето. Бях объркана и скръбта замъгляваше съзнанието ми. Тогава не се говореше за Рая и Ада, тъй като църковните обреди и вярвания бяха забранени. Но кой може да ви забрани да вярвате в доброто и в душата на хората?

Баба ми наглади черния шал, покриващ бялата й коса, взе бохчата и свежите цветя и с дребни стъпки тръгна към дома на починалия мъж, за да остави подаръците си близо до него по време на поклонението. Запали свещ за починалия мъж и прати поздрави на баща ми, помоли починалия да поеме поста, когато срещне баща ми на портата, за да може душата на баща ми да бъде свободна да тръгне по своя небесен път.

Това е ритуал, който се прави от незапомнени времена в някой райони на България, предаван от майка на дъщеря. Жената, майката е тази, която се грижи за децата си. Хората вярват, че

---

* Бохча – четвъртито парче плат за опаковане на дрехи във вързоп

душата пътува до любимите си места. След 40 дни на земята, тя остава на портата между световете, за да срещне този, който я следва, така че новата душа да не е сама и да не се губи.

В Северна България е обичай на Задушница да се излива вино върху гроба на любимия човек, а когато си тръгнете, да излеете капка на гробищната порта. Някоя душа винаги седи там на невидимия праг. Виното се налива като символ на възпоменание за всички души – за тези, които познаваме, и тези, които никога не сме срещали. Баба винаги носеше домашен хляб, варено жито със захар и ядки и вино, когато посещаваше гробището, за да почете всички мъртви.

Баща ми си тръгна, без да се сбогува, издъхна внезапно в безпомощните ръце на брат ми. Остави траен отпечатък върху сърцето му, като гореща, отворена, рана, която все още тлее след всичкото това време. Брат ми не споделя чувствата си, но знам, че все още страда и мисли за нашия баща. Смъртта го сграбчи и го отнесе, без да ни даде шанс за последно сбогом.

Майка ми беше млада, само на 42 години, с живот, пълен с надежди и мечти пред себе си. Баща ми я обичаше много и тя беше щастлива. Къщата ни винаги беше пълна с веселие, приятели ни посещаваха често, баща ми свиреше и всички пееха около масата. След като той почина, тя продължи да се грижи за нас, въпреки че болка изпълваше сърцето й. Трудно беше и на нас, и на нея. Очите й бяха празни и радостта я нямаше, но тя утешаваше мене и брат ми, защото се страхуваше, че ще се уплашим и натъжим. Майка ми ни държеше заедно, а брат ми трябваше да поеме поста на татко и да стане глава на семейството. И двамата бяхме деца.

Хората се опитваха да ни утешат с прегръдки и усмивки, а скръбният им поглед ни подсказваше, че искат да ни помогнат болката да си отиде. Но не можеха и на мен ми се искаше да си отидат и да ни оставят сами, да ни дадат време да оздравеем. След месец нашите приятели и близки накрая си тръгнаха, за да се върнат в своя свят. Къщата, която беше изпълнена с хора, беше празна, музиката спря и смехът напусна живота ни. Нашите приятели ги нямаше и ние се чувствахме забравени – и оставени да скърбим сами.

Едно нещо разбрах тогава, че смъртта носи мъка на близките, но те продължават да живеят дори и с болка. Когато човек напусне този свят, животът му се прекъсва. Той губи шанса да живее, да се радва, да страда, да вижда сватби и внуци и да остарее със своя спътник в живота или семейството си.

В цяла България съществуват различни погребални обичаи, като всеки регион има свои традиции и вярвания. Хората носят черно за траур и отдават почит на починалия. Отпечатват некролози, със стихотворение или някаква поговорка и името на човека, и ги залепват на врати, магазини, търговски билбордове и пощи. Ако някой не разбира езика, смята, че човекът на снимката е издирван за престъпление. Тази церемония продължава през цялата година, като некролози се поставят за 40-те дни, в които душата пътува, след това отново след 6 и 9 месеца и отново на годишнината от смъртта.

Посещавахме гроба на татко, за да го поменем, да занесем свежи цветя и да поговорим. Майка ми не пушеше, но когато посещаваше баща ми на гробището, запалваше любимите му цигари и слагаше на гроба му чаша с любимото му кафе. Споделям тази любов към кафето; черно кафе без мляко или други добавки, ми носи удоволствие, аромат на чиста радост. Той също обичаше да прави и яде палачинки с масло и мед, което беше любимата ми закуска в неделя сутрин.

В българския фолклор и обичаи се вярва, че след една година починалият най-накрая е заел своето място в другия свят и живее сред роднини и семейни предци. Хората вече не палят свещи отделно в паметта на любимия човек, а вместо това го почитат, като заедно се молят за всички починали роднини.

Според вярванията Архангел Михаил взема душата на човек, когато той умре. Един от най-големите дни в чест на душите е Голяма Задушница, която е в събота преди Архангеловден (8 ноември). Денят се пази, за да се уверим, че спомените на мъртвите се подържат живи; напомня ни за грижата за Божиите ангели за мъртвите и също е специално посветен на загиналите воини, а също така е наричан „мъжки ден на душите“.

През този ден хората посещават своите близки и членове на семейството. Те споделят сладкиши, бонбони, плодове, варено пиле и вино. Храната се дава не само на близки, но и на непознати, които посещават гробовете.

В Щатите празнуваме Деня на възпоменанието – през м. май – в памет на нашите близки, а Денят на ветерана през м. ноември почита тези, които са се борили за страната ни. Най-малко известен на повечето хора е Денят на вси(чки) души, който католиците празнуват на 2 ноември, за да се помолят за душата на тези, за които смятат, че са в чистилището. Едно време Църквата продаваше и „опрощения", които бяха начин хората да се откупват за греховете и по този начин да намалят времето си в Чистилището.

В Мексико хората почитат тези, които са преминали в Отвъдното пред тях – по време на фестивал, наречен Денят на мъртвите. Този празник не е изпълнен с траур и плач, а ярки цветове и смях. Подобно на българите мексиканците вярват в храненето на починалите близки, докато пътуват към духовния свят.

Много други страни имат подобни традиции да почитат своите близки, които вече не са сред тях. Традициите са различни навсякъде, но това, което ги сближава, е идеята да почитаме и помним нашите предци и тяхната памет.

Всеки път, когато минавам покрай гробище, се чудя кой седи на портата и чака смяната му да приключи, за да може да поеме по вечния път към отвъдното.

Глава 19: Не закъснявай

Очертанията на къщи и пътища изчезна в гъстото одеяло от пухкави бели облаци. Затворих сенника, усмихнах се на господина който седеше до мен и се наместих в седалката, за да се подготвя за следващите седем часа бездействие по време на полета си. Отварям книгата, но редовете се сливат в едно. Страхувам се от неизвестното.

Закъснявам ли? Дали няма да мога да се сбогувам с майка си? Студени тръпки по гърба ми. Отварям плика с пухкавото одеяло и се увивам като пашкул.

Постоянният шум на двигателите на самолета бе надвикан от стюардесата, която прекъсва мислите ми. "Госпожице, какво ще желаете да пиете?"

"Червено вино. Моля, донесете ми две чаши…"

С усмивка тя ми подава чаша и пакет соленки.

Гласът ми звучеше отчаяно. Дали не си помисли, че имам проблем с алкохола. Какво всъщност ме интересува, имам нужда от нещо, което да ме успокои.

Усещам как виното се стича в гърлото ми и ме отпуска, а кръвта оросява бузите ми, но след това усещането за глад се обажда. Не съм хапвала нищо от снощи. Отварям соленките – хрупкави са и се топят като скъпо отлежало сирене в устата ми. Доброто италианско вино и отличното обслужване направиха пътуването по-приятно, но не заличиха тревогите ми.

Никога не съм мислила за това през живота си, но дойде и не съм подготвена. Децата растат и поемат своя път в живота, а в същото време родителите остаряват. По-сложното при мене и другите, живеещи в чужбина, е разстоянието. Родителите ни се нуждаят от нашите грижи и присъствие. Имаме дилема как да се грижим за тях. Благодарение на технологиите можем да се видим в Skype, Facebook и FaceTime. Изпращаме на близките си поздрави, прегръдки и целувки, но виждаме и тъгата по лицето им.

Казват, че с пари можете да купите всичко, но това не се отнася за любовта и грижите.

В България традицията изисква децата да се грижат за своите остаряващи родители. Както в Азия и някои други култури, така и в България много поколения живеят заедно в една къща и се грижат за възрастните хора. За мен е чест бабите и дядовците да живеят в къщата, така се създава връзка между поколенията.

В Съединените щати ситуацията е различна. Семействата често настаняват възрастните хора в старчески домове или заведения за подпомагане на живота им. Може да е престижно да живеете на някои от тези места, които приличат на скъп курорт. Ако можете да си го позволите, това е отлично място за живеене, където лекари, медицински сестри и друг персонал са на разположение 24 часа на ден. Специални автобуси ви водят на пазар или до близкото казино, където можете да харчите пари и да се забавлявате. Персоналът организира дейности, за да ви развесели. По-често обаче възрастните хора биват изпратени на място, където персоналът е нископлатен и преуморен; нямат време да се грижат за нещо повече от непосредствените физически нужди на жителите. Известно е, че някои от тези места дори не предоставят минимални грижи.

В миналото в България да изпратите родителите си в старчески дом беше позор за семейството. Хората казаха, че сте изоставили родителите си. Майка ми прекара седем години от живота си, грижейки се за родителите си, като и двамата бяха приковани на легло и не можеха да се движат нито да се хранят сами. Седем години агония и преданост. Това правилно ли е или грешно? Дали това е най-доброто решение за грижите им? Не знам. Кой съм аз да съдя?

Една от десетте Божи заповеди гласи: „Почитай баща си и майка си". Бог очаква да почитаме нашите родители. Трябва да ги уважаваме, независимо дали смятаме, че те го заслужават или не. Любовта е далеч по-малко, отколкото почитта. Ако почитаме родителите си, показваме любовта си към тях, дори и да не са перфектни. Това означава, че във всяка ситуация и пред всички, можете с чувство на гордост и уважение да кажете: „Това са моите родители".

Гордея се с баща си. Той обаче почина преди повече от три десетилетия. Беше честен и горд работник, почитан от нас, близки и приятелите. Човек с много таланти; успя да изгради живот за нас и майка ми, въпреки предизвикателствата, пред които той и семейството му бяха изправени през комунистическата ера. И до днес хората споменават името му с уважение.

Гордея се и с майка ми, която посвети живота си на мен и брат ми. Тя ни даде основа в живота, независимо колко се е лишила и пожертвала от собствения си живот. Мама не известна, не е звезда, но ми е майка: самотна, тиха и скромна жена, която работи, спестява цял живот, само за да получи пенсия, с която може да си купи хранителни стоки за една седмица. За съжаление, тя не е единствената, но не искам да пиша за бедността и лишенията в България; това е друга тема.

В съзнанието си я виждам как стои до леглото ми, държейки ме за ръка и се усмихва. Грижеше се за мен, когато бях болна, когато бях тъжна и през онези моменти, когато светът ми беше обърнат с главата надолу. Винаги се е грижела за семейството с нежност, търпение и любов. Откакто баща ми почина, тя пое трудна роля, но винаги успяваше във всяка ситуация да ни обича и защитава.

Връщам се към реалността, когато колесарите на самолета докоснаха земята. Върнах се на българска земя. Жената от граничния контрол ми казва нещо, но аз не я чувам. Взимам обратно паспорта си и търся табелата за излизане и фигурата на брат ми. Прегръдката му и спокойното му лице са признаци, че с нашата майка всичко е наред. Навреме съм!

По пътя към неговата къща не знам как да наруша неловката тишина в колата. За какво да говорим? Не знам неговите притеснения или радости. Не знам какво го вълнува. Животът ни раздели и сега сме близки чужди. Споделените ни спомени спряха преди 20 години. Неговите приятели и дори познати знаят повече за него от мен.

Дори и на хиляди километри, аз го обичам; той е мой брат. Но няма какво да си кажем, защото сме разделени от двата различни свята, в които живеем. Имаме различни приятели, интереси и мечти; различни притеснения и проблеми.

В моменти като този се чудя дали не направих грешка, като напуснах дома и изоставих роднините, брат си и майка си. Но всеки човек трябва да бъде свободен да избира и изгражда свой собствен живот. Съвестта ми като малки остри зъби ме гризе и напомня всеки ден за моя избор.

През годините си изгубих много приятели и близки роднини, без да мога да се сбогувам. Цял живот ще се упреквам за това, че не успях. Не мога да плача; сълзите ми пресъхнаха и сърцето ми се обгърна с тръни в деня, когато загубих баща си. Може би затова съм скитник, който търси да намери себе си, и пътува, за да избяга от болката. А сега ще се сблъскам с повече болка, когато видя майка си.

Единственият звук в колата е ревът на двигателя. Брат ми пуши цигара, докато шофира. Мразя цигарите, но го обичам, така че не искам да го моля да хвърли фаса.. Вдишвам дима и тихо гледам през прозореца.

Преди няколко години исках да изненадам брат си за рождения му ден. Моята снаха и останалото семейство ми помогнаха да организирам прекрасно тържество. Отидохме на свято място, високо в планината, в манастир, където имахме добри спомени с баща ми и където децата ми бяха кръстени. Рожденият му ден е на 24 юни, Еньовден или Денят на лятото, един от любимите ми празници, така че това беше двоен празник. Всички водеха оживени разговори около масата, но аз почувствах студ и тъга. Това беше моето семейство, приятели и роднини, но аз се чувствах като непознат, седнал на масата им.

Сърцето ми започна да бие по-бързо. Брат ми спира пред бяла луксозна сграда. Болницата!

Калният, препълнен паркинг заличава възхищението ми от сградата. Шляпам в калта и подскачам от камък на камък, намираме входа и се втурваме към регистратурата.

Тъжното лице на жената зад бюрото и съболезнователният й поглед ме разтърсват. Случило ли се е нещо лошо с майка ми? Бързам, опитвайки се да разбера къде да отида. Може би ни дава грешна информация. Излизаме от асансьора на третия етаж и тълпата от хора в сини и бели униформи ни поглъща. Накрая успяваме да намерим стаята на майка ми.

Изглежда уморена, но усмихнатото й лице ме кара да забравя за всичко. Същата усмивка, която помня от детството си. Прегръщам нейното малко, слабо тяло и се чувствам щастлива.

Всичко ще бъде наред. Децата ти са тук. Прегръщам я здраво.

Аз съм навреме.

Бележка от автора

Формирането и развитието на българските общности зад граница може да се раздели на три големи периода.

През първите години на XX век в Щатите са създадени повече от 40 български организации основно с просветно-културна, църковна и взаимноспомагателна цел. Тази имиграционна вълна е икономическа.

Втората вълна е политическа и е през периода на комунистическия режим в България и епохата на т. нар. Студена война. Емиграцията и общностите зад страната търпят влиянието на тогавашната българска политика. Всички, които не приемат и подкрепят новия режим, са обявени за врагове на народа. Българската партия и правителство през този период налагат голям натиск върху сформираните организации зад граница, но въпреки опитите за „родно" влияние тези организации не се променят.

По повод честването на 1300 години от създаването на България църквата прави опит да се свърже с установените православни организации зад граница като създава епархия в Будапеща. Основната цел на тогавашната партия е да успее да закрепи своите позиции в страната и да установи контакт с тогавашния Западен блок.

Политическите вълнения в България след 1989 г. и присъединяването на страната към свободния пътникопоток очертават нов период в организирането и развитието на българските общности и техните организации зад граница. Миграцията има коренно нов тип, основният мотив е реализация в чужбина – временна или постоянна или получаване на образование. По скоро вече не говорим за миграция, а за мобилност.

Това се отразява и на сформираните дружества в този нов период, които не са политически или икономически, а по-скоро организации, които спомагат за съхраняването на духовната идентичност на мигрантите.

Създава се система от неделни училища, фолклорни групи и центрове. Интересното през този нов период е, че тези традиции и ритуали се приемат и от приемното общество.

Като пример мога да използвам създадения фолклорен ансамбъл от Татяна Сърбинска – основател и диригент на фолклорен ансамбъл „Зорница" и женски хор „Диви жени" – участниците са предимно американски музиканти и изпълнители, запленени от прелестта на българския фолклор. Те взимат дейно участие в културния живот на българската общност в Северна Америка и участват в елитни фолклорни празници и фестивали в България. „Здравец" е друг известен ансамбъл, създаден от Марта Форсайт, жена, отдала голяма част от живота си за запазване и разпространяване на българската култура в Северна Америка. Създаването и поддържането на тези организации подпомага запазването на българското духовно наследство във второто и следващите поколения емигранти.

Представянето на автентични фолклорни танци, ритуали, изложби на български автори, театрални постановки и концерти увеличават желанието на тези нови поколения, родени зад граница, да се запознаят с българската култура. Също така се увеличава броят курсове, танцови състави и театрални групи.

Фолклорният ансамбъл „Лудо младо", създаден от Петър Петров в Бостън, е един от водещите за разпространяването на фолклорните танци; ансамбълът взима редовни участия в престижни конкурси и фестивали. Спомагат за набирането на средства и подпомагат българските организации. Интересът към фолклорните танци нараства не само сред българите, но също и сред приемната общност.

Културните центрове са фар, който разпръсква светлина и сплотява българите зад граница. Основен характерен елемент на тези центрове е не само да организират празненства, но и да привличат и канят творци и изпълнители от България. Тези центрове са многобройни не само в Европа, но и в Северна Америка. Зад всеки един стои родолюбец или група родолюбци, в повечето случаи доброволци. Тази глава не е научно изследване, а споделяне на моите лични знания и преживявания зад граница.

Ще се спра на един от тези центрове – „Мадара", създаден от приятел и човек с голямо сърце. Животът кръстоса пътищата ми с Виолета Желязкова през 1998 г., годината, в която се преместих в Нова Англия с моето семейство. С нейна помощ и други българи успяхме да започнем да градим живота си зад граница. Вили е момиче с голямо сърце, много енергия и най-важното: неугасваща любов към българското. Аз я наричам "Spark" или Искра.

С нейна помощ се роди и идеята за „БГ Масс" и по-късно прерасна в Българо-американски културен център „Мадара", който и до днес е стожер на българщината в Нова Англия. Всичко започна с една среща, като Велчова завера, група от няколко хора, събрани от любовта към България. Трудно е с няколко реда да опиша какво се крие зад създаването и изграждането на тази организация. Само ще споделя, че е като отглеждането на рожба: има нужда от любов, търпение и прошка. Вили вложи много от себе си в този център, който сплотява и събира българите на национални празници, пикници, благотворителни събития, фестивали, изложби и концерти. Не съм водила статистика, но центърът е инициирал и подпомогнал повече от 500 обществени събития в САЩ и Канада. Благодарение на центъра в Бостън и Северна Америка гостуваха най-големите звезди на българската естрада и театър, талантливи художници и музиканти. Това допринася за запознаването на новите поколения, родени зад граница, с българската култура и ценности и изграждането на тяхната идентичност. Освен това Вили участва и в създаването и ръководството на други наши средища в района – българската църква „Св. Петка", училището ни „Св. св. Кирил и Методий" и Българския център в Нова Англия. Не случайно през 2018 г. Вили бе удостоена с орден „Иван Вазов" за своята дейност за запазване и съхраняване на българската духовност както и с почетна грамота от губернатора на Масачузетс, Чарли Бейкър, и други признания. На тържеството за връчването им над 400 души присъстваха да изкажат уважението и любовта си към Вили. Снимка на Вили и съпругът й Георги Енчев представя българската емиграция в музейната експозиция „Мечтите на свободата", отразяваща историята на емиграцията в Бостън. Експозицията се намира в най-посещаваното туристическо място в града – обсерваторията Skywalk, Prudential Center.

Родолюбието и поддържането на българщината зад граница е в нейната кръв и родова история. Роднини на Вили са Патриша "Пенка" Френч и Галина Куртева, които развиват активна обществена дейност също в източното крайбрежие на САЩ.

Патриша "Пенка" Френч е дългогодишен президент на един от първите български центрове в Щатите – Българо-македонски национален образователно-културен център – Питсбърг, щата Пенсилвания, и директор развитие на българския фолклорен ансамбъл "Тамбурица". Тя е дарител в областта на изкуствата и културата и енергичен и неуморен застъпник за българската култура в САЩ до смъртта си на 12 януари 2019 г.

Галина Куртева е президент на галерия „Алфа Арт" в Ню Брунсуик, щата Ню Джърси. Г-жа Куртева и съпругът й художникът Веселин Куртев отварят първата галерия в района на Ню Джърси, която заедно с американски творци, популяризира и български художници. Галина и Веселин са сърцати, родолюбиви сънародници. Тяхната галерия е домакин и организатор и на много вълнуващи български събития, с което се превръща и като център на българите в района.

Тук споменавам само някои от хората, с които съдбата ме срещна, но има още много родолюбци, които продължават да дават от времето и енергията си за запазването и разпространяването на българската култура зад граница. Както казах в една от другите глави, за мен емигрант е дума, която в днешния динамичен мобилен свят без граници е отживелица. Ние не трябва да мислим, че нацията е затворена "в границите" на държавата. Българите зад граница трябва да се възприемат като неразделна част от нацията и техните културни практики да се впишат в духовното наследство на страната, защото ние сме част от една глобална нация. Неделните училища, културните центрове, самодейните фолклорни състави, църквите и още други знайни и незнайни общностни организации допринасят за запазването на българската духовност.

Да благодарим на всички тези родолюбци, които подържат пламъка жив и носят светлина и любов в живота на българите зад граница.

За автора

Ронеса Авила е писател и човек на изкуството, който работи на свободна практика и живее близо до Бостън, щата Масачузец, САЩ. Тя обича да пише романтични и тайнствени романи, вдъхновени от приказки и легенди. В свободното си време рисува. Артистичните й интереси включват женското тяло, българска, гръцка и тракийска митология, фолклорни приказки и природни феномени, пречупени през нейния светоглед.

Други книги от автора

Мистичната Емона: Пътуване към душата
Змейково
Светлина, любов и ритуали: български митове, легенди и фолклор
Проучване на домашните духове на Източна Европа
Проучване на Русалки – славянски водни духове от Източна Европа

Поредица „Съкровища от раклата на баба"
Крадец по Коледа
Чудният щърк
Роден от пепелта
Дарът на русалката

Книжки за оцветяване
Русалките по света
Русалките по света – част 2
Малката Зоя

Готварска книга
Средиземноморска и българска кухня: 12 любими лесни традиционни рецепти